Cómo se le

Alberto Monti

CÓMO SE LEE
LA MANO

EDITORIAL DE VECCHI

© Editorial De Vecchi, S. A. U. 2001
Consell de Cent, 357. 08007 BARCELONA
Depósito Legal: B. 21.344-2001
ISBN: 84-315-2157-0

Impreso en España por
A&M GRÀFIC, S.L.
08130 Santa Perpètua de Mogoda

Introducción

Después de la Primera Guerra Mundial moría en Francia Anne Victorine Savigny, la más popular y prestigiosa quiromántica que quizá haya vivido durante los siglos xix y xx.

Se convirtió en quiromántica por casualidad —en realidad, se lo sugirió Alejandro Dumas en plan de broma, cuando aquélla acudió a éste en demanda de consejo, puesto que quería dedicarse al teatro. La joven en cuestión halló tan interesante la quiromancia, que acabó por entregarse a la misma con todo el entusiasmo de su generosa naturaleza.

Un año más tarde, Alejandro Dumas se encontró con ella y la sometió a una prueba: le hizo leer la mano de doce miembros del Institut de France. Para mayor objetividad, mandó tender una cortina entre ella y las personas sometidas a examen. Para asombro de todos, supo descubrir el carácter, las tendencias, las virtudes, los defectos y hasta las enfermedades de los mismos. A. V. Savigny adoptó el nombre de Madame de Thèbes.

La lectura de la mano es algo tan antiguo como el mundo. Se difundió rápidamente desde India hasta Grecia, desde Roma hasta Egipto. Fue objeto de concienzudos estudios por parte de filósofos y sabios, como *Platón, Aristóteles, Galeno*...

Liberada del lastre de la superstición (llegó a ser perseguida por la Inquisición como práctica demoníaca) y de la mala fe de charlatanes sin escrúpulos, se ha visto enriquecida en nuestros días por una serie tal de conocimientos y experiencias, que alejan toda duda respecto de su validez.

Con el conocimiento de nuestro carácter y «con un esfuerzo constante de nuestra voluntad, se puede conjurar la amenaza de cualquier peligro; se pueden reprimir los excesos de las tendencias» (Madame de Thèbes).

«La mano es el gesto, el gesto es la palabra visible, la palabra es el alma, el alma es el hombre; toda el alma del hombre está, pues, en su mano» (Madame de Thèbes).

En efecto, la armonía entre el *pensamiento y la acción* queda registrada claramente en los signos de la mano, cosa que a los profanos nos parece algo misterioso. Los recovecos más íntimos de nuestro ser se hacen patentes en las líneas y características de la misma, hasta nuestro destino favorable o desfavorable.

El conocimiento de los entresijos de nuestra psique debe movernos, pues, a ser optimistas, pero también cautos, cuando los peligros y sinsabores de la vida se agazapan para asaltarnos en el momento preciso.

El apretón de manos

Es cosa harto sabida que nadie tiene la mano igual a la de los demás. Las hay para todos los gustos, pero existe un medio rápido para conocer las características principales de la persona que nos es presentada: el *apretón de manos*. El sujeto que tiende una mano dura, resistente, quizá demasiado enérgica suele ser un individuo decidido, práctico, que no se pierde en nimiedades.

Otro estrecha la mano de una manera blanda y sin energía. Su saludo es liviano y suelta en seguida la de su interlocutor. Se trata, sin duda, de un sujero perezoso, poco sincero, abúlico. Cabe, empero, que sea una persona sensible, tímida, idealista, honesta, pero pobre de voluntad e indecisa.

El tipo desconfiado, envidioso y vengativo tiende la mano de mala gana y la retira a toda prisa, como si tuviera miedo de que se la robaran.

El tipo sensual estrecha la mano —especialmente si pertenece al sexo opuesto— con dulzura, blandamente, pero no demasiado, y la sostiene largo rato, mientras clava sus ojos por un momento en los del otro.

El tipo timorato, que es al propio tiempo tímido e irresoluto, actúa de esta forma: extiende sólo los dedos y alza la mano del otro para soltarla en seguida, como si se hubiera arrepentido de haberlo hecho.

El tipo generoso, entusiasta, cordial, que inspira simpatía

y busca la compañía del prójimo, tiende la palma de la mano bien abierta, aferra la de su interlocutor y sacude el brazo del mismo con vigor; opta por dejar la presa casi a disgusto. Tal comportamiento denota el deseo de establecer un rápido contacto amistoso, de recíproca simpatía, de afecto.

El tipo avaro tiende la mano con circunspección y la retira en seguida. El contacto es fugaz, casi imperceptible.

El sujeto celoso rehúsa tender la mano: en su mirada, mientras se desarrolla la pequeña formalidad del saludo, brilla casi siempre la ironía.

El individuo miedoso saluda sin tender la mano.

La persona insegura saluda con la punta de los dedos y retira al punto la mano.

El tipo superficial estrecha la mano a toda prisa, sin detenerse demasiado, sin establecer contactos.

La persona segura de sí misma no suele sentir la necesidad de estrechar la mano a nadie. Saluda y basta.

Temperatura y color de la mano

Las manos algo sudadas denotan una salud imperfecta y también una extraordinaria emotividad: un equilibrio comprometido psíquicamente por la inestabilidad o por una sensibilidad morbosa.

Las manos de piel seca o tosca son casi siempre síntoma de un temperamento más bien nervioso, explosivo, sensible, pero también de un carácter impulsivo y generoso. Tiende a tomar decisiones demasiado precipitadas de las cuales tendrá que arrepentirse.

El individuo que tiene las manos rojas debe de ser un temperamento colérico; se deja arrastrar fácilmente por sentimientos encontrados: es excitable, pendenciero y puntilloso.

Las manos de coloración encendida (muy a menudo violácea) pertenecen a sujetos brutales, violentos y malvados; presentan, además, las venas muy evidentes y los nudillos más bien gruesos.

Quien tiene las manos pálidas y mórbidas no goza de buena salud, se siente poco seguro de sí mismo, vacila constantemente.

Las manos bien cuidadas pertenecen a una persona ordenada, aseada.

Las manos descuidadas son índice de desorden material (y moral, muchas veces), de desaliño; la persona no es sociable, pero es presuntuosa.

Los hombres que someten sus manos a sesiones extraordinarias de masaje, manicura, etc., son un poco fatuos, vanidosos y hasta afeminados. En este grupo se encuentran los llamados «arribistas».

La mano fría es propiedad del egocéntrico, del avaro, del misántropo.

Al contrario, la mano cálida en exceso es el elemento integrante del individuo pródigo y manirroto.

N.B. Lo que decíamos de la temperatura y el color de la mano se refiere, claro está, a épocas normales del año (en invierno, es común tener las manos frías y violáceas; en verano, cálidas y rojas).

Forma de la mano y su significado

Mano ancha y firme

Tiene los dedos sólidos y cuadrados; la palma ancha y la muñeca no muy fina.
Nos encontramos ante una persona dotada de extraordinaria energía y firme voluntad; lealtad, sinceridad y honestidad.

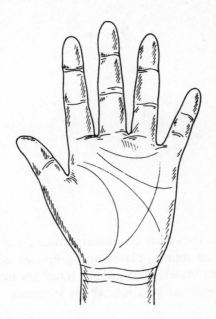

Las mujeres son magníficas amas de casa y madres. Son fieles en el amor, pero difícilmente perdonan la más pequeña aventura de su pareja.
Los hombres pueden ser dirigentes, profesionales, comerciantes e industriales (lo mismo que las mujeres). Son maridos fieles y óptimos padres.

Mano abierta

La longitud de los dedos no supera nunca la de la palma. El sujeto es leal, franco, sincero. Da muestras de sentimientos elevados y de amplitud de miras. Está siempre pronto al diálogo, a la comprensión, al perdón.
Las mujeres son de carácter jovial y magníficas trabaja-

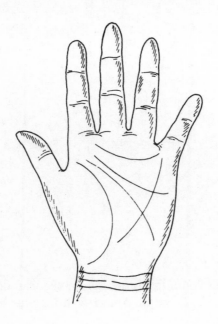

doras. Inspiran simpatía y benevolencia. Tanto éstas como los hombres no tienen precio en profesiones que requieren el contacto con el público (viajantes, cajeros, maestros, actores...).

Mano estrecha

Si tiene la carne mórbida y los dedos largos y puntiagudos, pertenece a una persona de carácter débil. Suele ser egoísta y árida de sentimientos.

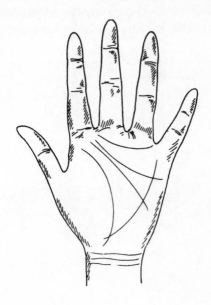

Las mujeres son coquetas, sumamente seguras de sí mismas y un poco descaradas. Aman el lujo, que buscan a

cualquier precio. Los hombres muestran un carácter afe-
minado y sin escrúpulos.

Mano común

Es una de las más fáciles de encontrar. Tiene la palma
más bien carnosa y desarrollada a lo ancho. Los dedos son
cortos (el pulgar incluso cortísimo) y las uñas cuadra-

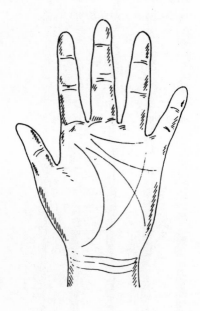

das. La muñeca corta y ancha; los montes casi invisibles
o ausentes, a excepción del de Venus, Saturno y Mercurio,
que son muy pronunciados.

El individuo con la mano común es persona más bien vulgar.

Tanto las mujeres como los hombres son pendencieros, desordenados y perezosos.

Mano fea

La persona con esta mano es inteligente y viva, cordial, buena y generosa, dotada de un extraordinario sentido práctico y espíritu de iniciativa.

Si la palma es mórbida, el sujeto se ve atraído especialmente por el comercio y la industria.

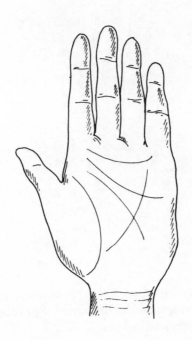

Si la palma es seca y resistente, el sujeto puede dedicarse también con fruto a los ejercicios físicos y deportivos.
Si los dedos son excepcionalmente anchos (espatulados), nos encontramos ante una persona ambiciosa, pero dentro de unos márgenes de legitimidad.

Mano tosca

Tiene una forma más bien cuadrada: la palma es ancha, los dedos cortos y aplanados en su extremo superior; las uñas son cuadradas y aplastadas; el pulgar es grueso, feo, ligeramente vuelto hacia el exterior; el meñique cortísimo y casi tan ancho como los otros dedos; el dedo medio tiene casi la longitud del índice y del anular.

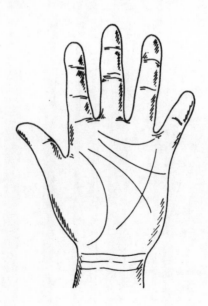

La persona con mano tosca no tiene fantasía ni espíritu de inventiva. Es honestísima y experimenta profundamente el sentido del deber, pero difícilmente se relaciona con el prójimo (no hace absolutamente nada por rodearse de amigos).

Tanto las mujeres como los hombres son estudiosos, serios, ponderados y poco comunicativos; no sienten el deseo de formar una familia.

Mano armoniosa

Ni grande ni pequeña; la palma, de magnitud regular, se estrecha en la muñeca; los dedos son largos, finos, con su extremidad puntiaguda u oval. La piel es rosácea, nunca

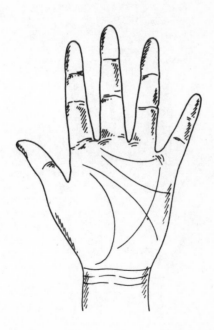

pálida, ni roja: la carne es firme, pero ni dura ni mórbida. La persona que la posee muestra un notable temperamento artístico (actores, escritores, poetas, pintores, arquitectos, modistos...). Una sola nube empaña esta armonía: es un poco perezosa y superficial, a pesar de su ingenio.

Las mujeres por su dulzura son madres y esposas incomparables.

Los hombres son alegres y simpáticos; sienten la imperiosa necesidad de tener amigos.

Mano de dedos angulosos

Suele ser larga; se caracteriza por unos nudos que destacan claramente las falanges. El extremo de los dedos es redondo.

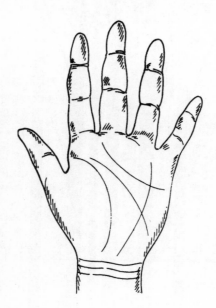

La persona con esta mano puede tener éxito en los estudios filosóficos y psicológicos. Como son honrados y puntuales, sobresalen en cualquiera de los campos que escogen para vivir y trabajar.

Mano bonita

Es larga, oval, con los dedos finos, la palma estrecha, la muñeca delicada, la piel mórbida y blanca. Los dedos no

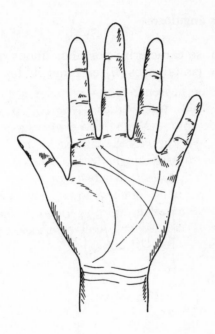

tienen nudos, las uñas son ovales, la piel no presenta signos.
Es la mano de quienes poseen una vida interior y espiri-

tual muy rica, que han desarrollado intensamente el sentido de lo bello (es la mano de muchos artistas).

Como contrapartida, no es raro que sean sumamente impresionables, incluso débiles, al no encontrar en sí la fuerza para luchar contra las dificultades de la vida. Difícilmente aceptan la realidad de las cosas (no se comprometen con trabajos que no están a la altura de sus facultades superiores).

Por todo lo dicho, pueden disfrutar de las mayores satisfacciones de la vida, pero, en la mayoría de los casos, caen en la infelicidad y el hastío.

Mano mixta

Presenta alguna de las características expuestas.

Los individuos que poseen esta mano suelen ser personas simpáticas, versátiles, inteligentes. Denotan, no obstante, una clara falta de voluntad que frena el entusiasmo inicial y que no impide la realización de las cosas que planeaban.

Las mujeres son magníficas madres y esposas, pero un poco despilfarradoras, desordenadas y perezosas.

Los hombres son buenos trabajadores, pero deben ser espoleados constantemente, porque tienden fácilmente (como las mujeres) a enredarse con ensoñaciones y quimeras.

Los dedos descubren
el alma humana

«Los dedos, con su estructura, señalan claramente las características que hacen de un individuo una persona totalmente distinta de los demás. En efecto, al observar nuestras manos y reconocer nuestros defectos —o al menos la tendencia a los mismos— nos ponemos en condiciones de corregir nuestro carácter, de mejorarlo, e incluso de oponernos al destino adverso, que muchas veces se ve determinado por nuestro propio carácter» (Madame de Thèbes).

Dedos cortos

El sujeto es muy reflexivo, está dotado de espíritu de organización, es dinámico, ordenado, moderno, metódico, honrado.
Tiene muy desarrollado el sentido del deber, es afectuoso, extravertido e inspira confianza a los demás.
Tanto los hombres como las mujeres aman la familia y se muestran dispuestos a hacer por ella todos los sacrificios que sean necesarios.

Dedos de mediana longitud

El dedo medio tiene la misma longitud que la palma.

Denota un carácter muy equilibrado y una inteligencia viva, que no se deja nunca sorprender por el instinto.

Puede dedicarse a cualquier profesión. Es positivo y lógico, por eso difícilmente cae en ensoñaciones y fantasías (las mujeres son feministas e independientes).

Dedos largos

Los sujetos son pacientes, perseverantes, reflexivos, con una buena dosis de sentido común. Gozan de una vida interior realmente rica.

Pueden elegir una profesión que requiera orden y método (abogados, médicos, mecánicos especializados, floricultores, relojeros, etc.). El trabajo no les impedirá, sin embargo, enriquecer su espíritu con lecturas y viajes.

Dedos muy largos

Denotan ambición, vanidad, esnobismo. Indican también amor por la precisión llevada hasta la exageración.

Los hombres no se adaptan muy bien a la vida conyugal, por eso prefieren permanecer solteros.

Dedos robustos

El sujeto es materialista, práctico, inteligente, pero con poca voluntad.

Como prevalece en él el sentido práctico, logra realizar lo que se propone.

Las mujeres tienen mucha fantasía y pueden resultar magníficas escritoras y periodistas. Como amas de casa valen menos, porque pueden dejarse arrastrar por la pereza. Dígase otro tanto de los hombres, entre los cuales abundan los escultores.

Dedos finos

El sujeto es idealista, sensible, generoso, amable.
Si estos dedos pertenecen a una mano armoniosa, los individuos son artistas, creadores, sumamente altruistas (dedican toda su vida al prójimo con gran generosidad).
Si pertenecen a una mano no armoniosa, los sujetos son astutos, calculadores, faltos de escrúpulos.
Si tales dedos están muy rectos, ello quiere decir que la persona en cuestión tiene un carácter independiente, ama la libertad, es franca y leal; llena de iniciativas, se dirige con decisión a la meta pretendida aunque le cueste sacrificio.
En cambio, si están un poco torcidos, ello indica que nos encontramos ante un individuo desleal, hipócrita y mentiroso; tiende, además, a la paradoja y la exageración.

Dedos gordos

Si no pertenecen a un campesino o a un obrero, son índice seguro de vulgaridad, gula y destemplanza sexual.
Las mujeres son egoístas y descaradas. Raramente son buenas esposas y madres.
Los hombres son jugadores, glotones y desconocen los goces del espíritu. Son poco recomendables como empleados y esposos.

Dedos delgados

Este género de personas ama las cosas altamente espirituales y la investigación intelectual. Gozan de una gran fuerza de voluntad. Jamás se contentan con lo que hacen y aspiran a ocupar puestos de primer orden.

Dedos ligeros, lisos y sin nudos

Se trata de personas idealistas, sensibles.
Son artistas, literatos, estudiosos (científicos, modistos, maestros, religiosos, plateros, floricultores...).

Dedos nudosos

Son el símbolo de la tenacidad, de la honradez, la paciencia, la voluntad, el amor por la naturaleza y las cosas sencillas; pero también (aunque no siempre) de una cierta torpeza mental.
Los hombres son reflexivos, honrados, tercos. Pueden dedicarse a las ciencias exactas, así como a la agricultura, la ganadería, la mecánica.
Si los nudos se encuentran en la *primera* falange, el sujeto se inclina a la filosofía, a las matemáticas, a la investigación científica. Si tales nudos son muy evidentes, el sujeto es proclive a la exageración y la paradoja.
Si los nudos se encuentran en la *segunda* falange, el individuo ama profundamente el orden y la precisión (a veces hasta la exageración).
Si los nudos se hallan en la *tercera* falange, el sujeto se ve atraído por los trabajos que requieren notable fuerza física (las mujeres teinen aptitud para la cocina y las labores del hogar).

Dedos puntiagudos

Son característicos de quienes tienen un alma noble y el corazón lleno de poesía y sentimientos elevados. A estas bellas cualidades les acompaña a menudo la falta de espontaneidad (el individuo es complicado y poco sincero). Las mujeres son soñadoras y un tanto desordenadas. Como amas de casa valen poco, pero si encuentran un hombre que sepa guiarlas sin intentar cambiar la personalidad de las mismas, pueden convertirse en magníficas madres y esposas (dígase otro tanto de los hombres, respecto de sus superiores).

Si los dedos son exageradamente puntiagudos, las manifestaciones de los sujetos en cuestión son en todo momento desmedidas (fanatismo religioso, afectación, pedantería...).

Dedos cuadrados

Son característicos de personas honestísimas, justas... Las mujeres aman apasionadamente, pero no pueden soportar la traición.

Los hombres son justos, pero inflexibles. También ellos aman hasta el sacrificio, pero no saben perdonar a quien les ofende.

El que sean los dedos demasiado cuadrados indica que el sujeto tiene un amor desmedido al orden moral y material.

Dedos espatulados

Indican una fuerza física nada común y una salud buenísima.

Este tipo de personas suelen tener larga vida, no turbada por ninguna clase de trastornos, ni siquiera enfermedades. Muestran un carácter bueno, cordial y decidido. Aman sobremanera el trabajo y la vida activa, principalmente los ejercicios pesados (deporte...).

Las mujeres son poco femeninas.

Si los dedos son marcadamente espatulados, eso quiere decir que los sujetos detestan cuanto es injusto: se rebelan contra todo lo que es opresión y racismo. De todos modos, no son religiosos; a menudo son ateos.

Punta oval de los dedos

Disponen de las mismas cualidades positivas y negativas de los que tienen los dedos puntiagudos y cuadrados.

Cada dedo tiene su significado

EL PULGAR (DEDO DE VENUS)

Es quizás el más importante: destaca la voluntad, el senti-
do común, la inventiva, la fuerza vital.
La primera falange (la de la uña) señala la voluntad.
La segunda el sentido común.

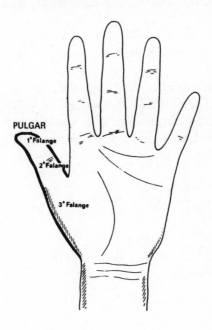

La tercera, el amor, la inventiva, la fuerza vital.

Quienes poseen las dos primeras falanges de la misma longitud muestran muy desarrolladas las cualidades expuestas: son personas equilibradísimas.

El pulgar largo

Sobrepasa en longitud el punto de unión entre el índice y la palma de la mano.

El sujeto está dotado de una extraordinaria energía física, gran voluntad para alcanzar la meta propuesta, espíritu de sacrificio e inventiva. Está adornado, asimismo, con una notable inteligencia.

Ha nacido para crear una familia, a la que se dedica con cariño y generosidad.

Puede elegir cualquier trabajo, porque en todos se desenvuelve a sus anchas. Como es una persona estudiosa, puede consagrarse, con buenos resultados, a la enseñanza.

El pulgar largo con la primera falange muy larga

Es la característica de los tiranos, de los dictadores.

La soberbia, la maldad pesa en estos sujetos, carentes, pese a todo, de esa inteligencia, espíritu de iniciativa y sentido de la humanidad que deben adornar a quienes están llamados al mando.

El pulgar larguísimo

El sujeto es muy enérgico pero cae en la testarudez y la obstinación. Se sirven de los demás únicamnte para sus fines personales.

Las mujeres son pésimas amas de casa: les falta dulzura de carácter; no son simpáticas.
Los hombres son auténticos arribistas.

El pulgar con las falanges de igual longitud

Se trata de criaturas excepcionales.

El pulgar corto

Apenas llega al punto de unión entre el índice y la palma. El sujeto es débil, inconsciente, perezoso, falto de iniciativa.

El pulgar cortísimo

Esto indica una falta absoluta de energía física y moral. El sujeto es pesimista, impresionable, con tendencia al suicidio.

El pulgar grueso

Esta persona es testaruda, no acepta la idea de que en la vida también puede perder o cambiar de opinión.
Las mujeres son magníficas amas de casa y trabajadoras infatigables pero posesivas.
Los hombres son, asimismo, laboriosos y honrados; aman profundamente a su familia.

El pulgar muy grueso y robusto (especialmente en la base)

El sujeto es un ser destemplado (desenfreno en la comida, la bebida y la lujuria).
Las mujeres son posesivas e irritabilísimas. Son, asimismo, ordenadas hasta la exageración.
Los hombres no son buenos trabajadores, pues se dedican a su profesión sin excesivo entusiasmo.

El pulgar ligero

Suele ser un indicio de mala salud y de falta de carácter.
Las mujeres son soñadoras y se refugian en quimeras (dígase otro tanto de los hombres).
Si este dedo es además corto y puntiagudo, entonces el sujeto es proclive a la inmoralidad.

El pulgar ancho

Es típico en las personas testarudas, pero llenas de buena voluntad, tanto es así, que no ahorran ningún sacrificio con tal de llegar a la meta propuesta.
Las mujeres son bruscas (en realidad, son tímidas).
Los hombres son magníficos jefes de familia. Como trabajadores no tienen precio, puesto que muestran un alto sentido de responsabilidad.

El pulgar largo y ancho

Esto es signo de terquedad y de orgullo sin límites. Se trata de sujetos pendencieros, que llegan a menudo, en sus discusiones, hasta la violencia. No sienten ninguna necesidad de tener amigos, por lo cual no son recomendables para los trabajos que requiren el contacto con el prójimo.

El pulgar nudoso

El sujeto muestra una personalidad original. Simpático y extravertido, traba fácilmente amistad con los otros. Ama a la familia. Dentro de este grupo solemos encontrar a pintores, artistas, diseñadores.

El pulgar liso, sin signos

Indica rectitud y nobleza de sentimientos, pero también falta de firmeza. Por ello, el sujeto necesita ser espoleado a la acción.
Las mujeres son magníficas amas de casa.
Los hombres son verdaderos señores, pero adolecen la falta de sentido práctico.

El pulgar rígido

Simboliza la dureza e inflexibilidad de carácter, incluso con los mismos de la familia. No perdonan nada. No es raro que sus destemplanzas degeneren en brutalidad y maldad.
Las mujeres son posesivas: no entienden que su hombre tenga amigos y aficiones. De ahí que sean tan celosas.
Los hombres no aspiran a otra cosa más que al mando por eso mismo, difícilmente se someten a la disciplina cuando les toca ser súbditos.

El pulgar flexible

El sujeto que lo posee demuestra tener un gran equilibrio y se encuentra a gusto con todos (goza de un gran espíritu de adaptación).

El pulgar recto en sentido vertical

Este dedo se ve muy pegado al índice.
La persona que lo tiene presenta una gran rectitud moral, un asombroso sentido práctico, así como lealtad, honestidad y franqueza. Sabe afrontar las dificultades a pecho descubierto.
Destaca en trabajos que requieren el trato con el público.

El pulgar vuelto hacia fuera de un modo natural

Es la característica de los sujetos generosos y pródigos.
Las mujeres son un poco superficiales e imprevisoras.
Por lo demás, son simpáticas y deliciosas: practican un verdadero culto a la amistad.
Los hombres son igualmente imprevisores. Por eso no pueden ser buenos cabezas de familia. No obstante, son amigos fabulosos, a quienes se puede recurrir en cualquier momento. Como son inteligentes y voluntariosos, consiguen triunfar en cualquier empresa.

El pulgar vuelto decididamente hacia fuera

Es signo de carácter débil. Por eso, los sujetos que lo tienen no saben dominarse ante la tentación (son golosos,

lujuriosos, pródigos). Por lo demás, son gente simpática.
Las mujeres son coquetas y vanidosas.
Los hombres no son maridos fieles. Ahora bien, como son trabajadores y honrados, pueden dedicarse a cualquier profesión.

El pulgar vuelto hacia el interior de la palma

Los sujetos demuestran un carácter firme y seguro, pero tacaño y avaro. Consiguen siempre lo que se proponen y no se dejan influir por nadie. Son poco dados a procurarse amigos. Se descomponen cuando alguien les pide un favor (sobre todo si es dinero), que difícilmente conceden. Son personas metódicas y puntuales hasta el escrúpulo.
Las mujeres son independientes y nada proclives a las vanidades.
Los hombres trabajan por el gusto de amontonar dinero.

El pulgar separado del índice por un gran arco

Esto indica buena voluntad, deseo de independencia, modernismo, anticonformismo.
Las mujeres son feministas.
Los hombres aman a su familia, pero pasan mucho tiempo fuera de casa, no para divertirse, sino para dedicarse a trabajos «extraordinarios».

El pulgar que forma un ángulo en la base

Los sujetos demuestran un destacado gusto artístico, amor por la armonía y el ritmo. Son honrados, minuciosos y conservadores (aunque su porte exterior induzca a pensar lo contrario), son, asimismo, amables y generosos.

El pulgar de longitud y posición normal (armonioso)

Indica que el sujeto es un ser equilibradísimo.
Ahora bien, si la primera falange es corta, ello quiere decir que la persona en cuestión es de voluntad indecisa y nulo espíritu de iniciativa.

Las falanges del pulgar

Primera falange

Lleva los signos de la fuerza de voluntad, del afán de poder, de la energía, de la fuerza física.

De forma normal

Esto indica que el sujeto está dotado de buena voluntad, de una cierta tendencia a ocupar puestos destacados, tendencia templada, no obstante, por un notable equilibrio.

Ligera y alargada

Demuestra deseo de sobresalir, deseo sostenido por el orgullo.
Las mujeres aman la elegancia.
Los hombres pueden ocupar puestos directivos.

Muy ligera y alargada

El afán de sobresalir es desmedido. La persona que lo sufre tiende al despotismo. No ceja hasta convertirse en «jefe».
Las mujeres son elegantes hasta el exhibicionismo.
Los hombres son muy severos con quienes les rodean (familiares, amigos, dependientes...), porque intentan con su intransigencia dominarlo todo, incluso el destino.

Corta

Es típica de los individuos con poca voluntad, inseguros, impacientes, nerviosos. Caen en frecuentes crisis de tristeza y desaliento (en otros momentos, se muestran vivaces y optimistas). Se dejan dominar fácilmente por la cólera, pero como son fundamentalmente buenos, se recuperan enseguida. Pueden dedicarse a cualquier trabajo que no requiera tener que dirigir a otros.
Las mujeres necesitan a un hombre enérgico a su lado.
Los hombres son buenos cabezas de familia, pero su acusada debilidad de carácter les expone a ser dominados por su mujer, hijos y familiares.

Cortísima

Todos los defectos del tipo anterior se encuentran aquí acusados.

Redonda

(Es poco frecuente). Indica una cólera desenfrenada, maldad, falta de sentido moral, agresividad, violencia. Es el signo de los asesinos que matan fríamente, por dinero o por venganza.

Puntiaguda

Señala una personalidad original; pero no un carácter fácil.

Es también característica de las personas víctimas de la cólera, el nerviosismo y la fácil excitabilidad.

Las mujeres no son buenas amas de casa, esposas, ni madres; cambian fácilmente de humor. (Algo parecido les pasa a los hombres).

Pueden dedicarse con fruto a profesiones como el periodismo, la música, la pintura, el diseño...

Muy corta y redonda

Indica testarudez, extrema excitabilidad, falta de control. No son sociables; están en lucha permanente con la sociedad. Caen, pues, fácilmente en la melancolía y son proclives al suicido (es cosa frecuente encontrar en este grupo a asesinos brutales). Son pésimos padres y no conocen los goces de la amistad.

Segunda falange

Indica equilibrio, raciocinio, sentido común y voluntad.

Ligera y larga

Es indicio de gran equilibrio y serenidad de espíritu. Los

sujetos son magníficos esposos y padres. Pueden elegir cualquier trabajo en el que, sin esfuerzo alguno, consiguen ocupar puestos de importancia.

No muy fina, pero muy larga

Tienen muy buenas cualidades, entre las cuales descuella el sentido común. Ahora bien, por ser un tanto intransigentes y minuciosos acaban por parecer aburridos y pesados.

Más larga que la primera

Se trata de caracteres difíciles, puesto que la voluntad se ve obstaculizada por la lógica y el raciocinio; antes de volcarse en una empresa le dan cien vueltas al asunto.

Ligera y corta

Los sujetos acusan una falta absoluta de lógica y por tanto se ven en la imposibilidad de realizar nada. Es mejor que no asuman el papel de guías de nadie.

Ligera y corta, pero más corta que la primera

En éstos la falta de lógica es aun más grave, puesto que demuestran un placer especial en hacer prevalecer una voluntad no respaldada por el sentido común. No escasean entre ellos los verdaderos tiranos.

Otras características del pulgar

En la primera falange

Una cruz (en la base de la uña): esto indica que la voluntad del sujeto se ve expuesta a menudo a acontecimientos imprevistos.

Rayos que suben hacia la uña, por la parte exterior: son indicio de una personalidad fuerte, de gran energía vital. Tales sujetos muestran una gran voluntad para alcanzar metas ambiciosas.

Si los rayos son más horizontales que verticales, eso quiere decir que el sujeto en cuestión se verá mediatizado por obstáculos que se opondrán al cumplimiento de sus designios, obstáculos que conseguirá superar casi siempre.

En la segunda falange

Una **estrella** situada en la base del pulgar, hacia la parte interior de la mano: indica un temperamento amoroso llevado hasta el exceso.

Ahora bien, si está localizada en la parte externa de la mano significa que el sujeto tiene un temperamento vicioso (lujuria, gula).

Una **estrella** situada en la base del dedo, un poco antes de la muñeca, muestra que el individuo no es afortunado en amores y sufrirá traiciones al respecto.

EL ÍNDICE (DEDO DE JÚPITER)

Es el dedo de la ambición, el orden moral, el sentido religioso, la posibilidad de amar, la sensualidad.

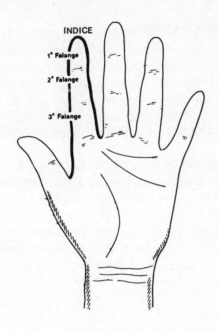

El índice recto y armonioso

El sujeto que lo posee demuestra todas las cualidades de un «jefe»: inteligencia, capacidad de mandar y hacerse obedecer, espíritu de iniciativa y una decisión inquebrantable.

Las mujeres son magníficas amas de casa y madres.

Los hombres están dotados de un alto sentido de la justicia y de amor al prójimo.

El índice puntiagudo

Esto demuestra una inmediata capacidad para organizar

39

la vida y el trabajo. Están dominados por un orgullo desmedido por el cual no se ven respaldados por la suficien-
te fuerza como para pegar a donde quieren. Este signo
puede indicar asimismo una tendencia a la vida mística.
Los hombres y las mujeres, por estar dotados del sentido de lo bello, pueden alcanzar metas apreciables si ponen un poco de orden en sus ideas y se ven empujados
a la acción.
Si los demás dedos son cuadrados, ello quiere decir que
el sujeto posee un espíritu verdaderamente elevado.

El índice cuadrado

El individuo se ve ligado, incluso dominado, por los con-
vencionalismos sociales. Esta particuaridad comporta una
cierta superficialidad.
Las mujeres son ambiciosas. Como esposas son un poco
difíciles.
Los hombres son brillantes conversadores y hombres de
mundo. Por su misma ambición logran alcanzar puestos
de prestigio. Son buenos padres y esposos, especialmente
si llegan a casarse con una mujer equilibrada (es la pareja
perfecta).

El índice espatulado

Es indicio de una fuerza exhuberante en la acción. Es
propio de quienes luchan con fanatismo por una causa.
El sujeto es honrado.
Las mujeres son soñadoras y pierden el sentido de la rea-
lidad.
Los hombres son buenos cabezas de familia, con tal que

no se metan en política (llegan a descuidar entonces sus deberes familiares).
Pueden ser buenos sacerdotes y activistas políticos.

El índice cónico

Es la característica de las personas dotadas de gran equilibrio. Demuestran sentido religioso, decisión, espíritu de independencia, amor al trabajo y al deber. Destacan en todo y son dignos de confianza.

El índice largo y fusiforme

Revela un espíritu inquieto, de humor variable, susceptible, inconstante, orgulloso y ambicioso.
Las mujeres tienen una casa que brilla por el orden y la limpieza. Educan a los hijos bien y con pulso firme. Sin embargo, si no tienen a su lado quien las domine acaban por hacer infelices a los que las rodean (muy a pesar suyo).
Los hombres son inteligentes, orgullosos y llegan a donde se proponen; jamás decepcionan a quienes ponen en ellos su confianza.

El índice demasiado largo

Tienen la misma longitud (o casi) del dedo medio.
Los individuos son despóticos, autoritarios e inflexibles. Las mujeres necesitan a su lado, para que haya armonía, a hombres que sepan dominarlas (si no, resultan realmente intratables).

El índice corto

Llega sólo a la primera falange del dedo medio (incluso menos).
Denota una cierta debilidad de carácter.
En el trabajo son honrados y minuciosos, por eso son bien aceptados.
De todos modos, nunca llegan a ocupar puestos importantes.

El índice nudoso

La prudencia es la bandera de los sujetos que lo poseen.
Como contrapartida, son pedantes y aburridos, además de ambiciosos y calculadores.
Las mujeres son muy escrupulosas. A fuerza de planificar la vida, acaban por crear el hastío entre los que comparten con ellas el destino. Adolecen, asimismo, de falta de fantasía. (Dígase lo propio de los hombres).

El índice liso (sin signos particulares, ni nudosidad)

El sujeto en cuestión denota una gran espontaneidad unida a una falta total de reflexión.
Las mujeres son criaturas deliciosas, alegres, simpáticas, generosas. En el amor se entregan al hombre amado con desvariada dedicación (a menudo se equivocan en la elección de su pareja). Si tienen la suerte de casarse con un hombre amable, comprensivo y, sobre todo, enamorado, las cosas van bien. En caso contrario, pueden ser desdichadas.
Los hombres son seres simpaticones, magníficos padres y esposos. Como son un poco superficiales, tienen nece-

sidad de alguien que frene sus impulsos y generosidad excesivos.

El índice fino

Es típico de las personas que viven una intensa vida interior, que no aspiran a los bienes materiales, riquezas y puestos de privilegio.
Las mujeres son amorosas, escrupulosas, tímidas y reservadas.
En las actividades profesionales son personas aceptables, puesto que son minuciosas; pero les falta el espíritu de iniciativa.
Los hombres no están destinados a ocupar cargos directivos; si por uno de esos azares de la vida llegan a «mandar», no tienen el pulso necesario para hacerse obedecer.

El índice grueso

La ambición empuja a los individuos a ocupar puestos de privilegio, sobre todo por el deseo de obtener para sí mismos y su familia una vida desahogada. Aman con exceso la buena mesa, el lujo, el alcohol y el juego.
Las mujeres adoran los bellos vestidos, las joyas, las casas bonitas; pero es difícil que hagan algo honesto para procurarse todo esto. Si se casan necesitan que el marido les dé autonomía.

El índice flexible

Revela un espíritu ambicioso. Los sujetos que lo poseen

saben cumplir su trabajo con fina diplomacia para conseguir lo que se proponen.

Las mujeres buscan a un marido de posición social muy elevada. Tienen ambiciones muy osadas; no es raro que sean las artífices de la posición del marido, pues cultivan las amistades necesarias para elevarlo.

El índice que se separa mucho de los otros dedos

Es la característica de las personas dotadas de una gran suerte (en el amor, en el trabajo, en la salud, en las riquezas, en la elección de amigos).

El índice largo, bien recto y sin nudosidades

Los sujetos son orgullosos, pero se ven sostenidos por una nobleza de ánimo nada común. No se doblegan ante la suerte adversa. Son profundamente buenos y generosos, dignos de estima.

Las mujeres son las compañeras más dulces y delicadas que los hombres puedan desear. Si no encuentran el compañero adecuado, saben soportar la desilusión con gran firmeza de ánimo.

Los hombres son siempre unos «señores» en el verdadero sentido de la palabra.

El índice muy largo, pero rígido

Aquí el orgullo está presente, pero en sentido negativo. Los sujetos son muy egoistas. Les falta por completo la generosidad, la bondad y la comprensión.

No perdonan una ofensa real o imaginaria: se vengan de

la manera más ruin; no vacilan en denunciar (incluso con anónimos) a los inocentes que cometen el «error» de superarles en algo.

Las mujeres son despóticas y posesivas; no pueden ser buenas madres y esposas.

Los hombres son intratables, incluso en familia.

El índice corto, robusto, tosco y duro

La ambición es el motivo dominante de su vida. Si no consiguen lo que quieren, no vacilan en recurrir a la violencia. No son buenos esposos y padres. Están condenados a la soldead, a la miseria moral y material, incluso a la cárcel.

El índice corto, robusto, tosco, duro y espatulado

Denota los mismos defectos del tipo anterior, pero aumentados.

El índice nudoso, pero recto

Indica un despotismo desmesurado (es típico de los dictadores despiadados). No aman, pero no son amados; siembran la infelicidad, pero no son felices.

El índice más largo que el anular

(Es muy difícil de encontrar). Indica materialismo y menosprecio de todo lo que es sentimentalismo.

Si además es puntiagudo, ello significa que el sujeto es exageradamente orgulloso.

Las mujeres son poco femeninas. No les gusta hacer el papel de esposas y madres; si se casan buscan fuera de casa satisfacciones materiales más concretas.

Los hombres no se enamoran nunca. Descuidan a la familia, a los padres y a los amigos. Son antipáticos. No hay nada que pueda detenerlos ante la posibilidad de hacer dinero, ni siquiera las acciones deshonestas.

Las falanges del índice

Primera falange

Es la falange del misticismo, de la intuición, del espíritu filosófico.

Larga y ligera

Los sujetos demuestran un gran deseo de guiar o dominar a los otros pero en sentido positivo (es característico de los maestros, sacerdotes y religiosos). Es propio también de quien ama el silencio, el recogimiento, el estudio de la filosofía: tiene una vida interior muy rica en sentimientos elevados.

Corta

El sujeto está dominado por el escepticismo, el desaliento, el pesimismo, la desconfianza. Es víctima frecuente de crisis de melancolía que no sabe superar (intenta hasta el suicidio). Es fácil que estos individuos sean ateos: educan a sus hijos con amor, pero no les enseñan a creer en Dios. Pueden dedicarse a cualquier profesión porque son tenaces y laboriosos.

Carnosa

Indica una sensualidad tan fuerte, que el sujeto la castiga con la autopunición. Se ve dominado por un sentido de la religiosidad totalmente equivocado (cae fácilmente en el fanatismo y en la hipocresía religiosa).
Educan a sus hijos con suma severidad, utilizan para ello sistemas hace tiempo superados.

Delgada

El sujeto muestra una gran sensibilidad y una auténtica profundidad de pensamiento. Pueden ser filósofos, sacerdotes, científicos, benefactores de la humanidad.
Las mujeres, sensibilísimas, son muy vulnerables y sufren por cualquier cosa. Son buenas madres y esposas, pero no comprenden a la juventud. Son magníficas trabajadoras, pero como amas de casa valen poco.
Los hombres presentan una honestidad tan limpia, que no consiguen comprender la deshonestidad ajena. Por eso pueden ser víctimas fáciles de individuos sin escrúpulos.
Inteligentes y estudiosos, pueden dedicarse a cualquier trabajo. Si eligen la carrera de la enseñanza, son muy severos con sus alumnos pero justos e imparciales.

Segunda falange

Indica ambición, orgullo, energía.

Larga y delgada

Significa ambición desmesurada, deseo de elevarse por encima de la masa, actividad, espíritu de iniciativa, energía física, vivacidad, simpatía.

Las mujeres, además de amar la casa, a los hijos y al marido, desean bellos vestidos, joyas, una hermosa vivienda, una posición social de gran prestigio. Si trabajan fuera de casa destacan en todo gracias a la carga de humanidad y simpatía de que hacen gala.

Los hombres no se contentan con puestos secundarios y consiguen llegar alto merced a sus buenas cualidades. Son óptimos padres, esposos e hijos.

Corta

Indica una falta total de energía, de carácter, de espíritu de iniciativa. Una falange así puede anular las buenas cualidades halladas en las otras falanges del índice.

El sujeto no será nunca un buen esposo, un buen padre, un buen ciudadano, precisamente por su abulia, no por falta de honestidad. Para que pueda dar de sí todo lo que tiene de bueno, necesita al lado alguien que lo ame y espolee continuamente.

Carnoso

Es indicio de materialismo, de grosería, de falta de sensibilidad. Son destemplados en la comida, la bebida, el juego.

Las mujeres y los hombres sólo se casan cuando están seguros de una buena posición inmediata y sólida. Son cordiales, pero un poco bastos, aunque hayan recibido una buena educación.

Delgada

Es el signo de la ambición impulsada por el orgullo y el deseo de alcanzar una meta, por el íntimo placer de haber vencido.

Las mujeres aman apasionadamente; pero están provistas de una notable intuición, que les impide caer en las desilusiones. Les falta un poco de fantasía, por lo cual no se adaptan a los trabajos que requieren creatividad y sentido de la armonía.

Los hombres son honrados, capaces, trabajadores incansables.

Tercera falange

Comporta los signos de la sensualidad, del amor al lujo y los honores.

Larga, fuerte, con un nudo evidente en la unión con la mano

Esta persona se ve fuertemente dominada por el deseo de sobresalir, la presunción y los instintos sexuales.

Las mujeres adoran el lujo, no son siempre fieles en el amor, quieren mucho a los niños. Triunfan fácilmente como escritoras.

Los hombres son unos conquistadores («play-boys»).

Robusta, muy larga y gruesa en la base

La persona presenta las cualidades y defectos del tipo anterior, pero desproporcionados.

Corta

Los individuos están faltos de orgullo, de ambición y sensualidad. Son apáticos y abúlicos.
Las mujeres son pésimas amas de casa (débiles, desordenadas y sucias).
Los hombres son descuidados en la persona. Valen poquísimo como padres y maridos.

Rechoncha y carnosa

Los individuos son inmoderados en la comida, en la bebida y en la sexualidad. Engordan desmesuradamente, pero no hacen ningún sacrificio para recuperar la línea. Raramente logran aprender un oficio o hacerse querer.
Las mujeres son desordenadas, sin embargo, son muy generosas. (Dígase otro tanto de los hombres.)

Delgada

Es el índice de una vida interior muy rica: los individuos denotan una tendencia al ascetismo, la contemplación, la reflexión, el estudio; menosprecian los bienes materiales. Como son tan idealistas, raramente hacen fortuna.
Las mujeres educan religiosamente a sus hijos o les infunden un ideal político. Son muy sencillas y aman mucho al prójimo (de ahí que puedan dedicarse a la medicina, asistencia social, ser misioneras, enfermeras...).
Los hombres no son recomendables como esposos, pues abandonan a los suyos en aras de la política, el arte o cualquier otro ideal, nunca por falta de amor.

Otras características del índice

En la primera falange

Una **estrella** en la punta del dedo (casi al final del pulpejo): esto indica que el sujeto está destinado a correr serios peligros, a ser víctima de la fatalidad (deberá evitar, pues, nadar largo rato en medio del mar, lagos y ríos; realizar atrevidas excursiones a la montaña, subir a las ventanas para hacer la limpieza, conducir coches, etc.). Si la estrella está un poco más abajo del pulpejo, eso quiere decir que el sujeto ha nacido para la diplomacia hábil y digna.

Una **cruz**: indica que el sujeto no tiene mucha suerte (amor, intereses, salud, profesión). No obstante, disfrutan de una notable dosis de optimismo.

En la segunda falange

Una **cruz**: el sujeto goza de la protección de otras personas influyentes y tiene grandes probabilidades de triunfar. Otras características son: una gran rectitud, generosidad, bondad e inclinación a la vida religiosa y los estudios filosóficos.

Una **estrella** en la unión entre la primera y la segunda falange, con algún rayo ascendente, más largo que los otros: esto significa que el sujeto en cuestión ha sido educado severamente y tiene un exagerado sentido del pudor, lo cual lo incapacita para amar físicamente (considera la actividad sexual como un grave pecado). Es asimismo muy tímido y reservado. Si al lado se encuentra una estrellita, ello supone maldad y envidia.

Líneas horizontales: el sujeto es malicioso, envidioso e hipócrita.

En la tercera falange

Una **cruz** colocada exactamente debajo de la unión con la segunda falange: afición desordenada a la actividad sexual y también relaciones extraconyugales.

Una **cruz** situada en la base, casi en la unión con la palma de la mano: suerte y felicidad en todos los terrenos.

Una **estrella** en este mismo sitio: ambición y proyectos que llegan todos a buen puerto.

Una **cruz y una estrella** en esta misma base: el sujeto está destinado a una vida excepcionalmente afortunada y feliz, sin que tenga que esforzarse.

Líneas verticales: el sujeto se ve dominado por los sentidos.

Líneas horizontales: hay serios obstáculos que se oponen al matrimonio, al noviazgo y a la conquista del ser amado.

En las tres falanges a la vez

Líneas verticales: el individuo muestra tendencias (quizás un poco exageradas) a una vida mística, contemplativa, religiosa. Denotan asimismo un innato sentido del pudor y de la reserva.

Líneas horizontales más que verticales: las aspiraciones místicas se ven seriamente obstaculizadas por los acontecimientos o la familia.

Los sujetos son atraídos por los estudios filosóficos.

EL DEDO MEDIO (DEDO DE SATURNO)

Es un dedo muy importante, porque es el que marca el destino del individuo, sus virtudes y defectos.

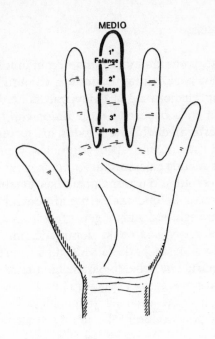

El dedo medio fino y ligero

El sujeto tiene poca suerte en todo cuanto emprende. A pesar de su orgullo solapado, posee una gran bondad. Si triunfa en su trabajo, ello se debe a su capacidad, no a la suerte.

El dedo medio corto

El individuo se ve sometido a una vida azarosa, esmaltada de golpes de suerte y de desgracias imprevistas. Esto le vuelve inseguro. Las buenas cualidades que le adornan son la bondad, la inteligencia y la voluntad, nubladas muchas veces por su extraordinaria timidez. Inspira simpatía y amistad.

El dedo medio tosco y cuadrado

Es la característica de los individuos de quienes decimos «es un mirlo blanco». Denotan honradez, voluntad de hierro, laboriosidad, firmeza de carácter, cordialidad.

El dedo medio espatulado

Indica pesimismo, falta de confianza en la vida y el género humano, rebeldía. Sufren de manías persecutorias (están convencidos de que son víctimas de un destino injusto, de la malignidad de la gente). En realidad, no saben lo que quieren y están casi siempre de mal humor. Las mujeres hacen desdichada la vida de su pareja. Son supersticiosas hasta el ridículo (realizan extraños ritos para conjurar a los «malos espíritus»).
Los hombres son contestatarios y rebeldes por naturaleza. No es raro que intenten el suicidio si caen en una de sus frecuentes crisis de melancolía.
Si la forma espatulada es exagerada, entonces los defectos reseñados son todavía más abultados: tendencia al suicidio, desesperación, tiranía despiadada, refinamiento de crueldad.

El dedo medio nudoso

Los sujetos son pesimistas y escépticos, pero son muy reflexivos, constantes e inteligentes. No es raro que con el raciocinio consigan superar las crisis de tristeza a que están sometidos.
Las mujeres son melancólicas, pero si viven con personas alegres y optimistas acaban por sonreír y cobrar confianza. (Dígase otro tanto de los hombres.)

El dedo medio liso y sin signos

Significa inteligencia verdaderamente excepcional, tendencia a los estudios científicos, simpatía, espontaneidad, espíritu selecto.
Los individuos con este dedo medio están destinados al éxito.
Las mujeres son magníficas amas de casa.
Los hombres encuentran en el matrimonio su equilibrio.
Aman y educan a sus hijos con profundo amor y comprensión.

El dedo medio grueso

Indica pedantería, falta de confianza en el prójimo, gusto por la filosofía y los estudios científicos.
Las mujeres no son lo que se dice buenas administradoras. Prefieren dedicarse a las ciencias exactas y a la filosofía. No obstante, son madres amorosas y muy tiernas.
Los hombres son suspicaces y desconfiados, por esto mismo hacen desdichadas a las mujeres.

El dedo medio delgado

Significa espiritualidad, pensamientos elevados, pero también inflexibilidad.
Las mujeres son dulces y buenas. Suelen ser muy religiosas. Son, no obstante, muy rígidas por lo que respecta a la moral. (Dígase lo propio de los hombres.)

El dedo medio puntiagudo

El sujeto es frívolo, amante de las cosas refinadas y bellas, un poco fatuo; es generoso, pero muy informal (no cumple la palabra).

Las mujeres son muy femeninas, pero valen poco como amas de casa.

Los hombres son vanidosos y un poco irresponsables. Son infieles.

El dedo medio ancho y torcido

La persona que lo tiene es pendenciera, violenta, malvada y vive a gusto fuera de la ley. Se extravía muy pronto, cuando aún es muy joven. Se mete en líos con mucha frecuencia.

El dedo medio vuelto hacia el índice

Estos sujetos tienen muy desarrollado el orgullo.

Las mujeres son muy ambiciosas. No son buenas madres, ni buenas esposas por su carácter espinoso.

Los hombres no soportan como jefe a una mujer. En el terreno sentimental necesitan a una esposa inteligente y tolerante, dispuesta a desempeñar un papel secundario.

El dedo inclinado hacia el anular

Son seres privilegiados, porque la naturaleza les ha dotado de un sentido artístico nada común. Tienen también muy desarrollado el sentido del humor. Demuestran, asimismo, una gran capacidad de amar.

Las mujeres son perfectas madres y esposas.

Los hombres están dotados de un espíritu de inventiva inigualable (slogans publicitarios, chistes de periódicos...).

Las falanges del dedo medio

Primera falange

Comporta los signos de la inseguridad, el escepticismo, el miedo, la superstición, la melancolía, la desesperación, el pesimismo.

Puntiaguda

Significa ponderación, equilibrio, sentido común. El sujeto tiene los pies bien plantados sobre la tierra, pero tiende a la tristeza. Como está dotado de inteligencia y capacidad, consigue ocupar puestos de gran prestigio, pero no se le sube a la cabeza. Mira la vida, no como una aventura, sino como una empresa seria que hay que desarrollar.

Las mujeres se casan solamente porque están convencidas de que es en la familia donde se encuentra el equilibrio y la serenidad.

Los hombres son buenos maridos, padres y amigos. Son sumamente puntuales, exactos y honrados. Consiguen templar la melancolía de su carácter con una intensa vida social y laboral.

Cuadrada

Denota una gran seriedad y honestidad, pero también inflexibilidad e intolerancia respecto de los errores ajenos. Las mujeres aman apasionadamente al marido, los hijos y a la familia, pero no saben perdonar las ofensas recibidas (no admiten que pueda haber fallos y errores). Son tradicionalistas e intransigentes en lo que se refiere a la moral. Son muy activas y laboriosas.

Los hombres son cordiales y simpáticos con sus amigos.

Eligen profesiones que requieren el empleo de la fuerza física.

Corta

Es la característica de los fatalistas, de aquellos que aceptan el destino y la vida como son, con resignación. Apáticos y abúlicos, no son ni vencedores ni vencidos. Las mujeres cumplen sus deberes de esposas y madres con mórbida resignación. Se desentienden del gusto por los «trapitos», a diferencia de la mayoría de las señoras. Los hombres no han nacido para mandar, sino para obedecer, incluso entre las paredes del hogar. No tienen ningún género de aspiraciones económicas ni profesionales.

Muy larga, con el pulpejo rechoncho

El sujeto es muy prudente porque es desconfiado. Además, es un ser triste, pesimista, supersticioso y dominado por frecuentes crisis de nervios. Las mujeres nunca sonríen. Son poco eficaces como amas de casa. Los hombres desconfían de todo el mundo y dan excesiva importancia a cosas que no la tienen.

Larga, pero gruesa (no grasa)

Es un signo nefasto: abatimiento moral llevado hasta las más terribles consecuencias: el suicidio. El sujeto no está nunca tranquilo ni sereno, aunque tenga razones para estarlo. Teme la muerte, las enfermedades, el hambre, la miseria. Ha nacido, en una palabra, para hacer desdichados a los demás y a sí mismo. Es inteligente, pero

58

carece del entusiasmo necesario para trabajar con efectividad.

Con el extremo redondeado y el pulpejo carnoso

Estos signos denotan valor, osadía, desenvoltura, espíritu de iniciativa, amor a la aventura (en sentido positivo) y, a veces, inconsciencia. Tales sujetos nunca se desaniman. En todo ven la parte bonita y apasionante.
Las mujeres aman profundamente a la familia, a los niños y al marido. Tienen muchos amigos y se muestran a cada instante como seres simpáticos y generosos.
Los hombres están dotados de una gran fuerza física y disponen de las mismas buenas cualidades de las mujeres.

Delgada

Son sujetos escépticos, aburridos, desesperanzados. Alejan de su lado a amigos y conocidos a fuerza de contarles sus males. Se encuentran solos y eso redobla la desesperación en que caen fácilmente.
Las mujeres son celosísimas. Contagian de su tristeza a su marido, a menos que éste sea una persona alegre y optimista.

Segunda falange

Lleva consigo los signos de la inteligencia, el amor a las ciencias, los animales y la naturaleza; además, el sentido práctico.

Larga

Indica reserva, melancolía, falta de fantasía, reflexión.
Las mujeres se adaptan bien a trabajos que requieren pre-

cisión, pero no a profesiones femeninas y artísticas. Los hombres leen mucho, pero prefieren los libros que tratan de temas patéticos, lúgubres y terroríficos. No son nada cordiales; en familia hablan poco, pero no se oponen a la alegría de los suyos, simplemente la ignoran. No tienen amigos, pero no los echan de menos.

Corta

El sujeto carece de sentido práctico y se muestra siempre indeciso. Prefiere los trabajos de oficina, pero sin aspiraciones.

Rechoncha

Es índice de una cierta tendencia a los estudios científicos, especialmente a la botánica (y a la biología).
Las mujeres son muy femeninas y estudiosas. Son mujeres perfectas.
Tanto las mujeres como los hombres se sienten atraídos por el cuidado de las flores y los animales. En este grupo se alinean los veterinarios y floricultores.

Delgada y seca

Las mismas características del anterior, pero más acusadas.

Tercera falange

Comporta la posibilidad de aprender y el sentido práctico.

Larga

Demuestra un gran amor al dinero, una acentuada avaricia.

Las mujeres son magníficas esposas y madres, pero, al imponerse una férrea disciplina económica, arrastran consigo a toda la familia.

Tanto las mujeres como los hombres pueden cumplir a la perfección cualquier trabajo que se les encomiende; pero ¡cuidado con darles demasiada independencia! Acabarán buscando el propio interés antes que el del que les ha dado el trabajo.

Corta

Son personas ahorradoras, pero no avaras. Pese a ello, son generosas, amables, divertidas, simpáticas.

Las mujeres administran sabiamente el patrimonio familiar, pero no dejan pasar penalidades a los suyos. Así llegan a atesorar una regular fortuna.

Los hombres son magníficos padres y esposos; son trabajadores incansables y honrados.

Muy corta

Este tipo de individuos llega a la avaricia más sórdida.

Rechoncha

Los sujetos son un verdadero tesoro. Son simpáticos, alegres, extravertidos, sociables, generosos hasta el exceso, leales, cordiales, caritativos. No son siempre afortunados, pero se ven rodeados de mucho afecto y estima.

Las mujeres son las mejores madres y esposas que se

puede uno imaginar. Son ordenadas y escrupulosas, pero nunca aburridas, ni pesadas.

Los hombres son adorables. Les cuesta, empero, afirmarse en el ámbito profesional, pero consiguen, al fin, imponerse.

Delgada y seca

El infortunio les persigue inexorablemente toda su vida (en la salud, el amor, la profesión, las amistades, la familia). Pese a ello, emergen de sus cenizas como el pájaro ibis; reconstruyen lo que el destino destruye y vuelven a comenzar. Su paciencia no tiene límites.

Otras características del dedo medio

En la primera falange

Una **cruz** en la punta del pulpejo, con los brazos iguales y bien delineados: peligros y desgracias para el sujeto y su familia.

Si la cruz está situada a un lado del pulpejo, hacia el dedo índice, esto indica crisis religiosa.

Una **estrella** hacia la punta del pulpejo señala graves peligros.

En la segunda falange

Una **cruz** en el centro denota un profundo sentido religioso, una gran entereza y mucha bondad y generosidad.

Líneas horizontales o diagonales: rectitud, bondad, honestidad.

En la tercera falange

Una **cruz** bien dibujada: honradez, rectitud, moralidad insobornable, misticismo.

Una **estrella** en la base del dedo: salud delicada, sensibilidad, magnanimidad.

Un **anillo triangular**: indica vida difícil (dificultades económicas, obstáculos que hay que superar).

Líneas verticales bien delineadas y visibles (rosáceas): señalan la suerte en todos los terrenos (en el amor, el trabajo, la profesión).

EL ANULAR (DEDO DE APOLO)

Es el dedo que destaca el sentido artístico de un sujeto, su capacidad para apreciar cuanto es bello, su posibilidad

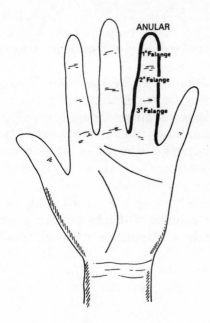

de realizar críticas objetivas, el sentido de autocrítica, las tendencias al idealsimo, el valor.

El anular largo

Indica un extraordinario sentido artístico, dominado, empero, por el afán de lujo, celebridad, gloria. Los sujetos eligen profesiones relacionadas con el diseño, la pintura, la pluma, la confección.

Las mujeres son ambiciosas y aman el lujo. No son buenas amas de casa, pero aman a su marido y a sus hijos.

Los hombres son un poco idealistas, pero poco pertrechados para la lucha de la vida.

El anular larguísimo

Las mismas características, pero más exageradas.

El anular corto

Hay una carencia total de amor al arte, a los ideales, a las cosas bellas.

Las mujeres son muy prácticas, siempre tienen la cabeza sobre los hombros. Son magníficas amas de casa, maestras, administradoras y empresarias.

Los hombres son trabajadores incansables. Aman a su familia, pero obtienen las mayores satisfacciones en su trabajo. Se inclinan al comercio y la industria y se ven atraídos por el juego de bolsa.

El anular excesivamente corto

Apenas llega a la base de la primera falange del dedo medio (incluso más abajo).

Indica que el sujeto está dominado por los bajos instintos;

tiene una buena dosis de vileza. Carece asimismo de valor.
Las mujeres están muy apegadas al marido, a los hijos, a
la casa, pero disenten fácilmente. No obstante, son simpáticas (¡lástima que no consigan dominar su instintiva
agresividad y vulgaridad!). Sólo buscan enriquecerse a
toda prisa, sin parar antes en la honradez de los medios.
Los hombres se dedican a los negocios no siempre lícitos.
Son simpáticos y juerguistas.

El anular puntiagudo

Indica temperamento artístico, misticismo, tendencia a
las ensoñaciones.
Las mujeres sueñan con dedicarse a la lírica, la música
ligera, la danza, la pintura, pero carecen de sentido práctico. Muestran una inclinación exagerada al misticismo.
Algo parecido les pasa a los hombres. Eligen profesiones
que les permitan ganar mucho para el bienestar de su
familia, a la que aman sobre todas las cosas.

El anular cuadrado

Indica una aversión especial hacia todo lo que es injusto y
contrario a las leyes humanas y a la bondad; aspiran estos
sujetos al triunfo de la verdad, a la defensa de la inocen-
cia del prójimo, a costa de cualquier sacrificio.
Las mujeres adoran el lujo, las casas bonitas, las joyas.
Se orientan hacia profesiones artísticas, donde consiguen
buenos beneficios. (Dígase otro tanto de los hombres.)

El anular muy liso y sin signos

Indica vocación artística, amor a la familia, a los niños y
a los ancianos; sentido del deber.

Si es además espatulado, ello significa que al sujeto le gusta la aventura, que desea evadirse, buscar lo novedoso.

El anular con nudos evidentes

Es signo de que el sujeto está dotado de notables cualidades artísticas, de amor al estudio y a la investigación. Las mujeres tienen el don de hacerse querer de todos.

El anular de la misma longitud que el dedo medio

Indica temeridad, amor al riesgo.
Las mujeres aman a su familia y educan a sus hijos con humana bondad.
Los hombres experimentan profundamente el sentido del deber. Se dedican a los deportes y trabajos más arriesgados. Sucede lo mismo con el juego.

El anular más largo que el índice

(Se comprueba esto al apretar los dedos extendidos): indica un temperamento artístico e inspiración tales que llevan al sujeto a la gloria.
Los hombres y las mujeres deben seguir sus inclinaciones al respecto, si no quieren sentirse desplazados.

El anular más corto que el índice

(Es raro encontrar un dedo semejante.) Significa clarividencia, sentido común sobresaliente, egoísmo, superficialidad.
Las mujeres son un poco fatuas, inconstantes en el amor. Se fijan demasiado en la apariencia de las cosas.

Las falanges del anular

Primera falange

Larga

Indica inteligencia y nobleza de ánimo, valor y sentido común, amor al arte y a la belleza. Les gusta tener casas bonitas y objetos preciosos.

Las mujeres aman su independencia. Inteligentes y honradas, reconocen que no han nacido para ser amas de casa. Son las amigas más fieles, amables y generosas que pueda uno desear.

Los hombres son honestísimos y leales. Son los clásicos personajes «de una sola pieza». Tienen tal sentido de la amistad, que no dudan para ello en llegar hasta el sacrificio.

Corta

Este tipo de sujetos pueden llegar, en su ingenuidad, hasta la simpleza. Se contentan con una vida anodina y aburrida. Hay una total falta de personalidad.

Las mujeres son buenas amas de casa, un poco pedantes, pero honradas y muy laboriosas. Se pueden encaminar a aquellas actividades que requieren contacto con el público.

Los hombres sucumben fácilmente en la vida familiar si la mujer presenta un carácter fuerte y autoritario.

Rechoncha y carnosa

Indica sensualidad, gusto por la buena mesa, el vino, el placer sexual, vagancia. Se trata de personas simpáticas en extremo, fáciles al chiste, a la broma. No tienen amor propio. Suelen casarse tarde, cuando sientan la cabeza, pero es poco probable que sean fieles a su pareja si lo hacen en su juventud.

Delgada y nerviosa

El sujeto es intransigente, honrado hasta el escrúpulo, religiosísimo y espiritual.
Las mujeres son ejemplares en todo. Son un poco aburridas por su deseo de orden y exactitud. Pueden dedicarse a todo tipo de trabajo que requiera precisión.
Los hombres son también rigurosos y severos, pero de una honestidad perfecta. Pueden ser sacerdotes, maestros, magistrados, óptimos padres de familia.

Segunda falange

Lleva en sí los signos de la dignidad, la organización, el sentido práctico.

Larga

Significa dotes artísticas que se «comercializan» para sacar el mayor beneficio posible. Indica, pues, sentido común, clarividencia para ver el lado positivo de las cosas, honradez.
Las mujeres son muy entusiastas. Llegan a ser óptimas madres y esposas y al mismo tiempo triunfan en su profesión, gracias a su gran imaginación y buen gusto (galería de arte, diseño, cosmética, antigüedades...).
Los hombres triunfan en todo cuanto emprenden.

Corta

Es la característica de quienes carecen de amor a las

cosas bellas y refinadas, así como de personalidad y fantasía, de sentido crítico. Pueden realizar cualquier trabajo, pero tienen necesidad siempre de ser guiados.

Rechoncha y carnosa

El sujeto pone sus cualidades artísticas al servicio de lo práctico, con buenos beneficios y satisfacciones.
Las mujeres son de espíritu creativo. Aman al marido y a los hijos, pero pueden dedicarse también a un trabajo exterior, que ejecutan con gran entusiasmo. Su personalidad les permite sobresalir de entre la masa.
Los hombres disfrutan también de una gran capacidad de inventiva. Destacan, pues, como pasteleros, peluqueros de señora, sastres, escenógrafos y artistas en general. Son óptimos esposos y padres.

Delgada y seca

Supone un gran temperamento artístico, pero falta de sentido práctico. Se dedican al arte por el arte, por eso no obtienen buenos beneficios. Son tiernísimos padres y amorosos esposos.

Tercera falange

Larga

Significa vanidad desmedida, sed insaciable de éxito y fama; pero al sujeto le falta talento: es mediocre y desordenado.

Corta

Indica falta de sentido artístico y fracaso en toda empresa. No es raro que se sientan desplazados en los trabajos que se ven obligados a tomar.

Las mujeres son esposas y madres perfectas.

Rechoncha y carnosa

Quiere decir orgullo, amor propio, dignidad, susceptibilidad.

Los sujetos son formidables trabajadores: si se empeñan en algo llegan hasta el fondo. Si se equivocan, reconocen el error con dignidad y honradez y vuelven a comenzar con tesón hasta lograr hacer las cosas bien.

Las mujeres se ofenden por cualquier nonada, pero como están dotadas de generosidad y buen corazón, perdonan fácilmente a quien les falta.

Los hombres (como las mujeres) son buenos esposos y tiernísimos padres.

Delgada y seca

Esto indica falta de ambición y desprecio por todo cuanto respecta al bienestar material y a las riquezas.

Las mujeres cumplen sus deberes con seriedad y plena dedicación, pero no luchan por alcanzar los primeros puestos. Son muy apreciadas por su honradez, puntualidad, amabilidad y laboriosidad.

Los hombres se sienten muy ligados a su mujer, a sus hijos, a sus padres, a sus hermanos (igual que las mujeres).

Otras características del anular

En la primera falange

Una **cruz** muy clara en la parte interior: carácter nervioso, sensibilidad, sentido religioso, honestidad, escrúpulos.

Una **estrella** en una mano bella y armoniosa: destino feliz gracias a un acontecimiento imprevisto y muy positivo. Si se trata de una mano tosca y poco armoniosa: desgracias, desdichas, vida difícil.

Líneas desordenadas: desdichas, disgustos.

Un **triángulo**: vida moral discutible, desórdenes, poca suerte.

En la segunda falange

Una **cruz** con los cuatro brazos bien visibles: destino poco afortunado.

Una **estrella**: desgracias, dolor profundo, muerte.

Un **anillo triangular**: personalidad rica de vida interior, intuición excepcional, fuerte inclinación a las fuerzas ocultas.

Líneas verticales: inteligencia positiva con todas las cualidades necesarias para dedicarse a los estudios científicos y a la investigación.

Líneas horizontales o diagonales: dureza, severidad, intransigencia.

En la tercera falange

Una **estrella**: desgracias, poca suerte en el ámbito familiar. Si la estrella se encuentra casi en el punto de unión con la palma, esto se refiere al propio sujeto o a un miembro de su familia.

71

Líneas horizontales o verticales: inteligencia viva, inclinación a los estudios científicos y a la investigación.

EL MEÑIQUE (DEDO DE MERCURIO)

Este dedo comporta los signos de la delicadeza de alma, inteligencia, sensibilidad, habilidad para los negocios, facilidad de palabra. Indica también desenfreno moral, tendencias a la deshonestidad, al robo, al afán inmoderado por el dinero y las ganancias ilícitas.

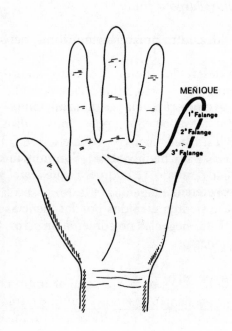

El meñique largo y fino

Es la característica de quienes se sienten atraídos por los estudios serios y profundos, por la investigación científica, de quienes son hábiles (pero honestos) negociantes, de quienes están destinados a tener éxito en la vida.

Las mujeres son muy serias y honestas, así como óptimas madres y esposas. Se dedican incluso a estudiar en los ratos libres.

Los hombres saben conducir los negocios con mucho tacto y diplomacia, pero con toda limpieza. Inteligentes y cultos, experimentan el constante deseo de incrementar su bagaje cultural. Se sienten muy ligados a la familia, a la que consideran la razón última de su vida.

El meñique muy largo y fino

Las características anteriores son aquí más acusadas.

El meñique corto

Los sujetos demuestran una gran intuición y una sed extraordinaria de saber. Son, pues, muy cultos y estudiosos.

Las mujeres aman la vida hogareña. Son muy inteligentes y se dedican al trabajo (cualquiera que éste sea) con eficacia y competencia.

Los hombres se sienten atraídos por las ciencias exactas; en el terreno de los negocios no cometen un error. Son profundamente honestos.

El meñique muy corto

(Está por debajo de la primera falange del anular.)

Mente fértil, inteligencia viva, capacidad de aprender rápidamente y sin excesiva fatiga hasta las materias o trabajos más difíciles.

Las mujeres son buenas amas de casa, sin embargo se dedican con encomiable tenacidad al estudio, aunque no tengan recursos económicos para dedicarse al trabajo que prefieren.

Los hombres triunfan en cualquier profesión, son buenos padres y esposos, se muestran religiosísimos, por eso pueden consagrarse con gran fruto al sacerdocio y a las misiones.

El meñique fino y puntiagudo

Es la característica del espíritu lleno de misticismo y sentido religioso; no falta tampoco la elocuencia, la capacidad de persuasión, el tacto y la diplomacia.

Las mujeres son habilísimas en los negocios y pueden vender cualquier cosa. Aciertan, asimismo, como amas de casa, madres y esposas.

Los hombres pueden elegir la carrera política, la eclesiástica y la docente. Destacarán también en el campo de la propaganda, la publicidad y las ventas.

El meñique cuadrado

Indica un carácter simpático, abierto, cordial, vivo; una inteligencia dispuesta siempre a asimilar y atesorar con avidez nuevos conocimientos; una cierta tendencia a orientarse hacia la investigación científica y a estudios muy profundos. Los sujetos tienen mil ocasiones de triunfar en las profesiones que exigen las cualidades enumeradas. Se casan con gran entusiasmo y suelen llevar una vida conyugal muy feliz.

El meñique espatulado

Significa amor al deporte y a todas las actividades que suponen fuerza física, incluida la danza. Son sujetos dotados de una notable facilidad de palabra y de persuasión. Sus fines no son muy limpios, porque denotan una cierta tendencia al robo y a los líos.

Las mujeres suelen mostrar un físico atlético y robusto. No aman la vida de casa. Como son intrigantes, siembran la discordia entre los amigos y familiares. No escasean entre ellas las cleptómanas. (Dígase otro tanto de los hombres.)

El meñique con la primera falange curvada hacia dentro

Los sujetos demuestran una notable avidez por el dinero, que buscan incluso por caminos poco honrados. Son envidiosos y poco simpáticos. Carecen totalmente de imaginación.

Las mujeres conducen bien su casa y se orientan preferentemente hacia el comercio.

El meñique mórbido y flexible

El que lo posee muestra, asimismo, una gran dosis de tacto, diplomacia, buena educación, habilidad en las empresas que desarrolla.

Las mujeres defienden como propias la causa de los demás. Generosas y simpáticas, son estimadas por todos cuantos las rodean.

Los hombres, pese a ser honrados y leales, tienen una característica muy importante: la astucia, que les permite llevar adelante, con habilidad y paciencia, los negocios que emprenden.

El meñique mórbido, flexible y fino

Indica una gran delicadeza de alma, inteligencia sutil, astucia. Los sujetos tienen grandes probabilidades de triunfar en el comercio y la industria: pueden producir y vender cualquier cosa. Se casan con gran entusiasmo.

El meñique grueso y tosco

Señala falta de distinción y señorío. Los sujetos tienen un carácter huraño, pero en el fondo son buenos.
Las mujeres no son muy femeninas. Son estupendas, pero después de tratarlas mucho tiempo (al principio parecen poco sociables y expansivas) se aprecia entonces su generosidad, altruismo, bondad, profundo sentido de humanidad, lealtad, sinceridad y dignidad.
Los hombres son magníficos cabezas de familia. Aman profundamente a los demás, pero tienen pudor de demostrar lo acendrado de sus sentimientos de bondad.

El meñique con nudos evidentes

Los individuos de este grupo denotan una cantidad de buenas cualidades, que difícilmente se encuentran todas juntas: valor, capacidad para desenvolverse en los negocios, honradez, persuasión, elocuencia, riqueza interior.

El meñique delgado, seco y muy fino

Indica una inteligencia aguda, pero también una buena dosis de malignidad y envidia. No saben atraerse la simpatía de los demás.
Las mujeres luchan denodadamente por conseguir cuanto anhelan (puestos de prestigio y buenos beneficios). Aman a su familia, pero no son buenas amas de casa.

Los hombres están dotados de una inteligencia intuitiva y sagaz, que les permite llevar a buen puerto las empresas que tocan.

Las falanges del meñique

Primera falange

Lleva consigo el amor intenso al estudio y el arte, la versatilidad, la inteligencia, el deseo de profundizar en las cosas.

Larga y fina

El sujeto se inclina especialmente a los estudios científicos y se interesa mucho por las manifestaciones artísticas.

Las mujeres se preocupan de la casa, de los hijos y del marido con gran entusiasmo. Aman la música y la pintura, a la que se dedican como aficionadas, pero con un ingenio innato.

Los hombres aman todo lo que sabe a científico y técnico. Se casan con gusto y pronto, y se consagran a la familia con gran cariño.

Mucho más corta que las otras dos

Estos individuos carecen de inteligencia viva; no se sienten atraídos por el arte y los estudios. Están faltos de imaginación.

Las mujeres son muy activas y cumplidoras. Son posesivas y celosas.

Los hombres se dedican a trabajos manuales y muy sencillos, que no requieren una especial preparación.

Cuadrada

Los sujetos explotan su inteligencia y su afición al arte, es decir, la ponen al servicio de los beneficios económicos y los grandes éxitos profesionales. Gozan de buen gusto e imaginación.

Las mujeres aman su casa, pero muestran un carácter algo extraño.

En el plano artesanal pueden crear cosas realmente originales. Destacan también en el campo de la publicidad.

Los hombres se consagran a los estudios científicos, la técnica y la mecánica.

Espatulada

Indica dinamismo, espíritu de aventura, aptitud para el deporte, fuerza y resistencia físicas.

Las mujeres no son siempre femeninas, sin embargo, tienen una «gracia» peculiar que se nutre probablemente de su profunda humanidad, simpatía, franqueza y serena sencillez. Su robusta constitución las capacita para la natación, el tenis, el alpinismo. Conducen los coches con singular pericia y prudencia. Son magníficas madres y esposas.

Los hombres están dotados de mucho valor y fuerza física. Son asimismo deportistas; con gran laboriosidad y honestidad se dedican a aquellos trabajos que requieren fuerza física. Presentan un aspecto «macizo», pero ofrecen una gran delicadeza de sentimientos y magnanimidad. Como padres, maridos e hijos son afectuosísimos.

Rechoncha y carnosa

Indica vulgaridad, falta de sensibilidad y distinción, bajos instintos. No aman el estudio, no cuentan con amigos, a los que tampoco desean.

Las mujeres educan a sus hijos con gran amor y se dedican al marido con devoción. Un poco bastas por naturaleza, no inspiran simpatía ni confianza (dígase lo propio de los hombres).

Delgada y seca

Denota dulzura, nobleza de ánimo, tacto, comprensión, generosidad, buena educación. El sujeto está dotado, asimismo, de una extraordinaria intuición por lo que respecta al trabajo, especialmente si se trata de los negocios. Las mujeres son criaturas deliciosas, perfectas (y no sólo físicamente). Están destinadas a hacer felices a todos cuantos tienen la suerte de acercarse a ellas: parientes, amigos, colegas. Como aman con toda la generosidad de que son capaces, han nacido para ser madres, esposas y amigas de quienes sufren.

Los hombres son honradísimos y muy estimados. Están completamente abiertos a todos los problemas que se refieren a la humanidad y a la caridad.

Segunda falange

Marca el sentido de los negocios, la practicidad, la intuición en el trabajo, los buenos resultados en toda acción emprendida.

Larga y fina

Quiere decir gran habilidad y éxito en toda empresa.

Las mujeres son muy prácticas y difícilmente se dejan arrastrar a ciertas debilidades. Son magníficas madres y esposas, pero se dedican con gusto al comercio o a la dirección de sociedades. Son las compañeras ideales de quienes no tienen un carácter muy fuerte.

Los hombres se encuentran a gusto sólo cuando pueden desarrollar trabajos independientes. Son amables, honrados, generosos y buenos cabezas de familia.

Corta

Denota honradez y lealtad, sentido del deber, laboriosidad, pero no demuestra ninguna aptitud para la industria y el comercio. Los sujetos no tienen la intuición necesaria, ni la astucia que les permita prevenir los líos de los demás.

Las mujeres necesitan alguien que las guíe y aconseje. Como madres y esposas son perfectas. (Dígase lo mismo de los hombres.)

Rechoncha y carnosa

Es la característica de quienes muestran un gran sentido práctico, materialismo. Estos sujetos aman mucho a la familia y a los niños, a los que, empero, suelen descuidar porque están volcados en el trabajo. Sin embargo, el bienestar de aquéllos a quienes aman constituye la meta principal de sus vidas.

Las mujeres son muy aficionadas a todo aquello que da dicha y placer (elevada posición, un buen matrimonio). Los hombres pueden ser magníficos comerciantes e industriales.

Delgada y seca

Los que poseen este dedo meñique carecen de sentido práctico y no consiguen coronar ninguna de sus empresas. Las mujeres son un poco soñadoras, pero aman profundamente a su familia. Necesitan a alguien que sepa guiarlas.

Los hombres son óptimos padres y esposos. También ellos necesitan a alguna persona que sepa aconsejarles.

Tercera falange

Comporta los signos de la deshonestidad, la astucia, los embrollos, el egoísmo, la envidia, la hipocresía.

Larga y fina

Indica egoísmo, falta de tacto, de delicadeza y de humanidad. Significa también astucia retorcida y malignidad.

Las mujeres apuntan a un matrimonio que les coloque en una posición privilegiada (a menudo se casan sin amor). Son personas poco amadas porque carecen de dulzura y comprensión.

Los hombres son ególatras y no es raro que hagan sufrir a las personas con las que conviven. Han nacido para el mundo de los negocios. Como carecen de escrúpulos, obtienen siempre ventajas y beneficios a su favor.

Corta

Significa ingenuidad, escasa inteligencia, falta de sentido común.

Las mujeres no saben combinar nada en la vida, no se interesan ni se apasionan por nada. Son además perezosas y no se adaptan a ninguna actividad.

Los hombres son honrados y transparentes. Si no tienen la suerte de tener al lado a alguien que les aconseje, acaban por caer fácilmente víctimas de gente sin escrúpulos.

Rechoncha y carnosa

Indica debilidad de carácter y destemplanza en la comida, bebida y sexualidad; es indicio también de pereza. Las mujeres son ambiciosas y vanidosas, coquetas y sin escrúpulos; abandonan frecuentemente el camino de la honestidad para procurarse sin esfuerzo lo que desean: el lujo, el bienestar económico, el éxito y el poder. No son buenas amas de casa.
Los hombres se ven fuertemente atraídos por los placeres sexuales y por los juegos de azar.
Por todo lo dicho, está claro que tales individuos no ofrecen ninguna clase de garantías.

Delgada y seca

Denota avaricia, afán de dinero, cálculo, malicia.
Las mujeres, por el hecho de ser intrigantes y maliciosas, no inspiran a su alrededor más que odio y antipatía.
Los hombres sólo miran a su propio bienestar y el de su familia. ¡Lástima que para procurárselo no vacilen en cometer acciones deshonestas!

Otras características del meñique

En la primera falange

Una **cruz** bien delineada y con los cuatro brazos de igual longitud: especial disposición para el estudio, en particular de las ciencias ocultas.
Una **estrella** en la punta del pulpejo: aptitud para la oratoria, fantasía y peligro de serios accidentes.
Una red: salud muy frágil.

En la segunda falange

Una serie de **signos** dispuestos de forma **desordenada**: inclinación al robo, a las acciones deshonestas, a la hipocresía, a la calumnia.

Una **línea sinuosa** en medio de otras líneas rectas: raciocinio, intuición, elocuencia, dotes de persuasión, éxito en los negocios.

Una **línea recta** bien visible que corre de parte a parte: buena intuición para los negocios.

Una red: finura de pensamiento, pero también humildad y timidez.

En la tercera falange

Una **cruz** bien clara: carácter introvertido, inclinación al robo y a la mentira, deseo de sobresalir a toda costa.

Una **estrella**: aptitud para la oratoria, dotes de persuasión, habilidad para los negocios.

Una red: vida difícil, emotividad, desilusión, bondad de ánimo, optimismo insobornable.

Los montes

Se llama así a las prominencias, más o menos aparentes, situadas en la palma de la mano, en la base de los dedos. Son siete y reciben el nombre de algunos planetas porque reciben de ellos sus influencias benéficas o nefastas.
Hay que tener bien presente que, cuando un monte se inclina o apoya en otro, recibe de éste todas las características.

MONTE DE VENUS (EN LA BASE DEL PULGAR)

Indica el amor, la sensibilidad, la capacidad afectiva, la sensualidad, la energía física.

Monte de Venus regular

Es mórbido, pero no demasiado, bien formado, con estrías y signos bien visibles, pero no excesivamente marcados o coloreados.
Significa generosidad, bondad, ternura, capacidad de grandes y verdaderos afectos, sensibilidad, comprensión, elegancia, distinción, amor a la belleza y armonía, ingenio, cariño a la familia.

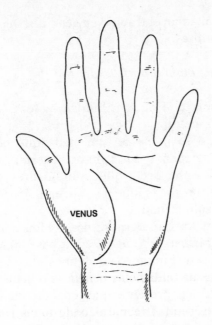

Las mujeres son criaturas excepcionales, hechas para dar amor y dicha, entusiasmo y optimismo.

Los hombres son óptimos trabajadores y buenos artistas.

Monte de Venus poco elevado

Las mismas cualidades del tipo anterior, pero menos destacadas.

Monte de Venus muy elevado y con varios signos verticales
Indica una lujuria llevada hasta el exceso, con las consiguientes enfermedades; gran energía física malgastada en aventuras amorosas.

Las mujeres son celosas y posesivas; son también obsesivas en sus manifestaciones sexuales. No son buenas amas de casa, ni aman el trabajo en general. (Dígase lo propio de los hombres.)

Monte de Venus llano o poco evidente

Denota egoísmo, falta de sensibilidad, pereza, aridez y a veces torpeza mental.

Las mujeres no se interesan por nada que no se relacione con su persona y su propio bienestar. Son poco simpáticas: no cabe decir que sean madres y esposas amorosas. Las personas que les rodean no reciben de ellas cariño y solidaridad.

Los hombres no vacilan para lograr sus fines en cometer acciones poco honestas.

Monte de Venus estrecho, no carnoso

Indica una falta total de generosidad, un egoísmo ruin y mezquino, una ausencia absoluta de celos.

Las mujeres son muy egoístas y un poco avaras. Es difícil que realicen algún gesto de generosidad y de perdón.

Los hombres no aspiran a otro ideal que al de ganar dinero fácil y abundante.

Monte de Venus poco elevado y sin líneas

Denota un carácter tranquilo, controladísimo, un poco frío.

Las mujeres no pierden nunca la cabeza, soportan las decepciones sin que afloren al exterior. Tampoco en el amor son expansivas. Por lo que respecta al trabajo, se orientan hacia la contabilidad y ocupaciones que requieren atención y precisión.

Los hombres son impasibles, un poco enigmáticos. Pueden dedicarse con éxito a cualquier profesión.

Significado de otros rasgos

Una **cruz** bien delineada, con los cuatro brazos de la misma longitud: amor constante, entrega, sacrificio por la persona amada (en la vida, un solo amor con matrimonio incierto). Si la cruz no tiene los brazos iguales, eso significa que el amor constante es mal correspondido, lo cual será ocasión de infelicidad, dolor y lágrimas que durarán toda la vida. Si la cruz está situada en la **parte más** baja del monte: disgustos, desgracias. Cambios negativos (todo esto sucederá en la edad madura).

Un **anillo cuadrado** hacia el centro de la palma: suerte, destino favorable, protección de personas queridas o influyentes.

Un **retículo** (doble o triple cruz): indica que el sujeto se ve atraído fuertemente por la gula y la lujuria. Ahora bien, si este signo está presente en una mano armoniosa y con el pulgar grueso, esto denota amor al arte y gran energía física; también que el sujeto está destinado a tropezar siempre con obstáculos en la realización de sus sueños y proyectos; en suma, no tendrá una vida fácil.

Una **estrella** (o más estrellas juntas): acontecimientos importantes, tanto que cambiarán la vida del sujeto (acontecimientos favorables o desfavorables; eso depende de otros signos estudiados en la mano).

Una **línea que parte del punto que separa el pulgar del índice** y flanquea todo el monte de Venus para terminar en la base: amor o lazos afectivos muy importantes, que acompañan al sujeto durante toda la vida. Ahora bien, si termina hacia la mitad, eso quiere decir que el amor o el afecto se interrumpen por una causa cualquiera. Si la línea se corta, pero al final se entronca con una serie de rayos, eso quiere decir que el amor interrumpido reemprende su fuerza con alternancias más o menos tempestuosas.

La ausencia de esa línea indica que el sujeto en cuestión no tiene, no ha tenido, ni tendrá amor: una vida vacía, sin pasiones, sin celos, sin perturbaciones, pero también sin una meta.

MONTE DE JÚPITER (EN LA BASE DEL ÍNDICE)

Indica orgullo, ambición, deseo de sobresalir sobre la masa, tendencia al mando, religiosidad, posición social, dignidad, personalidad fuerte (o débil).

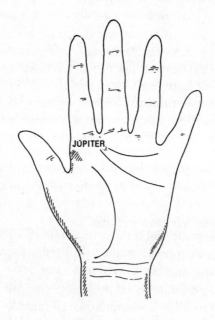

Monte de Júpiter regular

Significa personalidad rica en elementos positivos (honradez, nobleza de ánimo, profunda bondad, voluntad de hierro que conduce al éxito y a la afirmación en una profesión, amor afortunado, carácter equilibrado guiado por el sentido común y la lógica).

Las mujeres son criaturas verdaderamente ejemplares. Se dedican a estudiar, aunque les cueste sacrificios pecuniarios. Están llamadas a ocupar cargos directivos. Sus subalternos les muestran su gratitud y fidelidad, así como su cariño y estima. Lo mismo sucede en el hogar.

Los hombres consiguen ocupar puestos de gran responsabilidad y prestigio.

Monte de Júpiter poco elevado y sin rasgos evidentes

Los sujetos de este grupo muestran las características del tipo anterior, pero no tan acusadas. Les gusta la tranquilidad y la vida serena; en las dificultades saben, empero, obrar de manera enérgica y decidida.

Las mujeres son equilibradísimas. Aman con ternura a los niños y respetan a los ancianos. Suelen dedicarse a ocupaciones de tipo artesanal (modista, bordadora, peluquera).

Los hombres se suelen casar pronto porque sienten el vivo deseo de tener en la vida a alguien a quien amar.

Monte de Júpiter elevado y claro

Denota un gran egoísmo, un orgullo desmedido, sed de poder y superstición.

Las mujeres no se sienten inclinadas a cumplir la misión tradicional que se les ha asignado: el marido, los hijos y la casa. Sin embargo, consiguen ser buenas madres, más por instinto que por vocación. Siempre quieren tener razón. Si el marido no es equilibrado, la vida entre ambos es una tormenta. Son supersticiosas hasta el exceso (dan a veces una importancia ridícula o cosas insignificantes).

Los hombres son tan soberbios, que antes de sujetarse a una ocupación más modesta de aquella a la que aspiran prifieren la miseria. Nunca reconocen sus errores, aunque sean evidentes. Sus relaciones con la esposa son difíciles. Con los hijos son a veces inflexibles e injustos.

Monte de Júpiter muy elevado y claro

Significa vanidad, presunción, afán de lujo, de riquezas y de prestigio. Quiere decir también deshonestidad, falta de escrúpulos, espíritu dominante y autoritario, superstición.

Monte de Júpiter llano o poco evidente

Demuestra escasa personalidad y carácter débil, pesado y aburrido.

Las mujeres son magníficas madres y esposas, pero para llevar la casa necesitan el apoyo de alguien, porque no saben resolver ningún problema.

Monte de Júpiter deprimido

Indica falta de orgullo, de amor propio, de sentido religioso; además, una cierta tendencia a la vulgaridad (desaliño, desorden...).

Monte de Júpiter situado entre el índice y el dedo medio

Revela, además de un cierto grado de pensamiento elevado y de espiritualidad, desinterés por todo cuanto es material y ligado a los bienes terrenales. Como contrapartida hay egoísmo y falta de caridad y comprensión con los demás.

Significado de otros rasgos

Una **cruz** bien visible, con los cuatro brazos de la misma longitud: amor y unión felicísimos. Si los brazos son desiguales, dicha unión se verá contrastada por ciertos acontecimientos.

Una **cruz unida a otros rasgos** (una estrella o varias estrellas): se realiza la unión conyugal con una persona de buena posición social, rica o culta y con una posición de gran prestigio en todos los campos.

La **ausencia de cruz**: vida sin amor, sin pasión, sin unión conyugal: la soledad sentimental más triste y desesperante.

Una **estrella** bien visible y dibujada (sola y aislada): un acontecimiento importante, imprevisto y favorable alegrará (o ha alegrado) la vida del sujeto. Aunque vaya acompañada de otros signos, indica la perfecta consecución de los proyectos, de la profesión, de los negocios; se producen beneficios inesperados por el juego, la herencia o la protección de personas influyentes; salud estupenda.

Un **retículo** (doble o triple cruz): los proyectos se ven obstaculizados por acontecimientos imprevistos (incluso por la envidia y los celos de alguno); para remover los obstáculos se ha de hacer a costa de grandes dificultades, amarguras y sacrificios. Si el sujeto es orgulloso y ambicioso, será muy difícil (si no imposible) que alcance las metas deseadas.

Una **línea horizontal** bien dibujada, ligeramente rosácea y sin franjas tiene un significado positivo y favorable: éxito en todo aquello que se desea, tanto más importante cuantas más líneas horizontales haya.

Un **anillo cuadrado**: la persona en cuestión se librará siempre, brillantemente y sin daño, de todos los peligros, aunque se exponga a los mismos.

Un **puntito rosáceo** tiene siempre un significado funesto: accidentes, disgustos, desilusiones, muerte.

Líneas desordenadas, sin forma determinada: el sujeto no tendrá nunca éxito, ni conseguirá elevarse en toda la vida. Ahora bien, si al lado de estos signos confusos aparece una **estrellita**, eso quiere decir que el sujeto será afortunado en amor, salud y riquezas.

MONTE DE SATURNO
(EN LA BASE DEL DEDO MEDIO)

Indica prudencia, deseo de aprender, profundidad de pensamiento, actividad, tristeza; también significa frivolidad, ligereza de carácter, vida anodina.

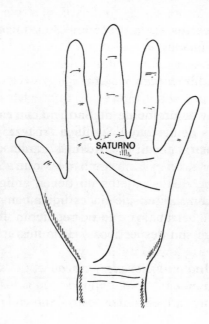

Monte de Saturno regular

Denota una vida serena y tranquila, sin excesivas sacudidas, llena de satisfacciones, alegrada por un cierto bienestar económico.

Las mujeres son capaces de infundir en las personas con las cuales viven la esperanza, la serenidad y el sosiego. Viven con alegría su vida aunque sea sencilla, con la sabiduría de las criaturas inteligentes y conscientes de sus deberes.

Los hombres tienen como cualidad principal la prudencia, que ilumina todos sus actos y afectos. Pueden elegir la profesión que quieran, pues cuentan para ello con la debida preparación. No muestran empero una especial aptitud para las profesiones artísticas.

Monte de Saturno poco elevado

Los sujetos de este tipo presentan estas mismas cualidades, pero atenuadas.

Monte de Saturno elevado y claro

(Es raro encontrar un monte de Saturno con estas características, pero alguno hay.) Significa tristeza, que llega hasta la depresión y el suicidio. Además, carácter introvertido, misantropía, reflexión, orgullo desmesurado, religiosidad, ascetismo. Estos sujetos no tienen amigos, ni los desean. Son muy religiosos, leen y estudian con gusto, prefieren dedicarse a trabajos que no requieran el contacto humano, porque son despectivos y distantes.

Monte de Saturno muy elevado y claro

(También es muy raro encontrar este signo en la palma de

la mano.) Indica un carácter difícil, histerismo, neurosis, profunda misantropía. Carecen del equilibrio necesario para convivir con el prójimo. Son pendencieros, pesimistas y siempre irritables: desprecian la vida, a los seres humanos, el amor, la religión, la política y los ideales.

Monte de Saturno llano o poco evidente

(Es un mal signo.) Es la característica de quienes son infelices, perseguidos por la mala suerte, independientemente de la confianza que tienen, a pesar de todo, en la vida, el futuro, los hombres. Difícilmente llegan a casarse y si lo hacen, no es fácil que hagan una buena elección.
Son criaturas maravillosas por esa confianza que ponen en todo. A veces esa confianza se ve premiada si se verifica en las condiciones oportunas.

Monte de Saturno deprimido

Denota frivolidad, abulia, ligereza de carácter, inconsciencia, irresponsabilidad, un poco de pereza.
Las mujeres cuando aman, aman profundamente y para toda la vida. Aunque poco ordenadas, están dotadas de un notable instinto materno. Cometen errores de tal calibre, que embarcan incluso a otros.

Significado de otros rasgos

Una **cruz** bien visible y definida, con los cuatro brazos de la misma longitud: accidentes, incluso mortales. Si no tiene la misma longitud, eso quiere decir que los accidentes se pueden evitar con un poco de prudencia.
Una **cruz** de pequeñas proporciones en la misma base del dedo medio: significa una gran fe religiosa y misticismo.

Una **estrella**: muerte a causa de una larga enfermedad, ofensas al honor, escándalo por un proceso merecido o inmerecido, sospechas injustas.

Un **anillo cuadrado**: protección por parte de personas queridas o influyentes. Es también seguro indicio de una cierta suerte, gracias a la cual se pueden tener alejados los disgustos, contratiempos, etc.

Un **puntito rosáceo** bien visible: tiene un significado funesto.

Un **retículo** (doble o triple cruz): quiere decir poca suerte, desgracias de familia, melancolía profunda y tendencia al deseo de quitarse la vida.

Un **anillo triangular**: profunda fe religiosa, notable tendencia a idealizar la vida, a los hombres, los acontecimientos.

MONTE DE APOLO (EN LA BASE DEL ANULAR)

Indica suerte, riesgo, arte, gloria, éxito, ganancias, ingenio. Señala también la espiritualidad, la sinceridad, el amor al arte.

Monte de Apolo regular

Denota buen gusto, tendencias artísticas e ingenio, secundados por una gran inteligencia; suerte y un destino feliz lleno de satisfacciones y de admiradores. Se trata de personas leales, honestas, simpáticas y comunicativas.

Los hombres tienen un atractivo especial que los vuelve irresistibles a los ojo sde las mujeres.

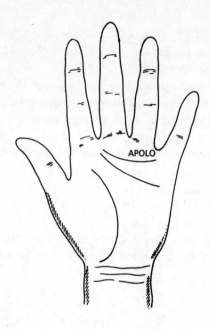

Monte de Apolo poco elevado

Los sujetos gozan de todas las buenas cualidades reseña-
das, pero en grado inferior.

Monte de Apolo muy elevado

Indica vanidad, amor desmedido por las riquezas y el
bienestar.
Señala asimismo el esnobismo, la superficialidad y un profundo amor al arte, que se ve deteriorado por los defectos
enumerados (estos individuos se sienten poco decididos
a afirmarse en el campo artístico, atraídos como están
por el susodicho afán de dinero).
Las mujeres no dedican mucho cuidado a la casa, pese

a amar profundamente a los hijos y al marido. Les gusta dedicarse a profesiones exquisitamente femeninas (la cosmética, las flores, los libros, los discos, las galerías de arte, etc). Tienen un buen carácter y son honradas, pero no se distinguen precisamente por el orden.

Los hombres, si eligen una profesión que les permita ganar mucho dinero rápidamente o se dedican al arte, están destinados a tener mucho éxito. Son profundamente humanos y comunicativos. Aman la casa, la familia, los niños, y los ancianos, por quienes sienten verdadero respeto.

Monte de Apolo llano o poco evidente

Indica falta absoluta de amor al arte, una clara tendencia al comercio y los negocios, escasa distinción.

Las mujeres son un poco vulgares. Aman el lujo, la casa, a los hijos, al marido.

Los hombres son honrados, diligentes y minuciosos. Han nacido para tener una familia y varios hijos a los que educa con gran amor y dedicación. Eligen profesiones que requieren rapidez de reflejos e intuición.

Monte de Apolo deprimido

Indica poca suerte, vida insignificante, amor al arte, espiritualidad.

Raramente se casan, cosa que depende no de su voluntad, sino de las circunstancias de la vida, que no les pone en condiciones de encontrar al compañero o a la compañera adecuados. Tienen existencia avara de satisfacciones, esmaltada a menudo de desilusiones, disgustos e infortunio. Es una lástima, porque son sujetos dotados de una vida interior verdaderamente notable. No es raro, empero, que el destino les reserve (incluso en la edad madura) ciertas satisfacciones, como el bienestar económico y el éxito. Tienen aptitud para escribir.

Significado de otros rasgos

Una **estrella:** éxito en las empresas artísticas, grandes ganancias, pero es efímero el paso del «momento mágico».
Una **cruz** con los cuatro brazos de la misma longitud: el sujeto tiene siempre el éxito al alcance de la mano, pero graves e insuperables obstáculos le impiden coronar sus sueños y ver reconocidas sus cualidades.
Un **anillo triangular:** el sujeto posee cualidades artísticas en grado sumo. Eso confirma el gran talento de que dispone y la gloria que le ronda, si no le ha llegado ya.
Un **anillo cuadrado:** protección por parte de personas queridas o influyentes, que impiden cometer errores muy graves e irreparables.
Un **retículo** (doble o triple cruz): el sujeto es vanidoso, un poco loco y superficial.
Un **puntito rojo:** fracasos definitivos, que truncan de raíz una carrera artística que prometía ser segura.

MONTE DE MERCURIO
(EN LA BASE DEL MEÑIQUE)

Indica disposición para el comercio y la industria, interés por el estudio, especialmente por las ciencias naturales y la medicina.
Señala también la astucia, la facilidad de palabra, las dotes de persuasión, capacidad de mentir, afán de dinero, falta de honradez, tendencia a «liar» al prójimo, a robar, a engañar a otros.

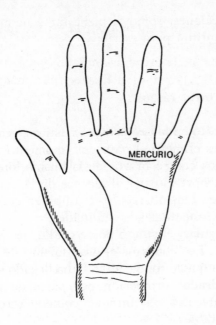

Monte de Mercurio regular

Significa predisposición para los estudios científicos, una inteligencia viva y versátil, capacidad de organizar empresas industriales y comerciales. Indica, asimismo, una elocuencia nada común, una gran habilidad servida por la astucia, un extrordinario espíritu de adaptación. Los sujetos son, además, susceptibles, presuntuosos, avaros, poco honrados y, a veces, usureros. Sólo tienen un pensamiento en la mente: hacer dinero, caiga quien caiga. A las mujeres no les gusta ser las guardianas del hogar, si se ven obligadas a ello, encuentran el medio de «evadirse» organizando ventas en su propia casa —consiguen mucho éxito y buenas ganancias—. Como están dotadas de una extraordinaria elocuencia, mucha gracia y un innato sentido comercial, consiguen vender hasta las cosas más disparatadas. No tienen interés por la lectura, por el arte ni por la literatura.

Los hombres son algo parecidos. Sólo buscan ganar dinero deprisa, sin fatiga y, si es menester, por medios poco limpios.

Monte de Mercurio poco elevado

Los sujetos tienen las mismas cualidades y defectos del tipo anterior, pero más reducidos.

Monte de Mercurio elevado y evidente

Los individuos de este grupo tienen las cualidades de los sujetos del Monte de Mercurio regular, pero no los defectos.

Monte de Mercurio muy elevado y evidente

Los defectos son aquí muy acusados: presunción, avaricia, afán de dinero, carencia absoluta de escrúpulos y de honradez. Los sujetos de este grupo llegan a ser ladrones, usureros y delincuentes. Alguna cualidad tienen, sin embargo, (orden, amor a la familia y a los estudios científicos, y meticulosidad), que quedan enmascarados por los graves defectos reseñados. Tampoco son personas simpáticas.

Monte de Mercurio llano, poco evidente y mórbido

Es la característica de quienes carecen de carácter y personalidad. Les falta, asimismo, el sentido del deber: tienden a descargar sobre los otros toda responsabilidad. Las mujeres no sobresalen en nada. No se apasionan por ningún trabajo u ocupación.

Los hombres nunca son cabezas de familia en el verdadero sentido de la palabra, ya que siempre dejan en manos de la mujer la responsabilidad de la familia, desde el punto de vista económico, y de la educación de los hijos, salvo para criticarla ásperamente cuando no van las cosas como ellos quieren. Por lo que respecta al trabajo, es raro que tengan una verdadera profesión. Viven a salto de mata.

Hay que aclarar que los aspectos negativos de este grupo quedan anulados prácticamente, si en dicho monte se muestran bien visibles una serie de rayos que se desarrollan hacia la parte alta de la mano.

Monte de Mercurio deprimido

Indica que los sujetos marcados con este signo son deshonestos, porque suelen dedicarse al robo y a la estafa. Son personas que hay que rehuir.

Significado de otros rasgos

Una **estrella:** el sujeto tendrá grandes beneficios que le permitirán vivir con desahogo y bienestar; pero tales ganancias serán el fruto de robos, líos y estafas.

Una **cruz** bien definida con los cuatro brazos de la misma longitud: los datos son casi los mismos que para la estrella.

Un **anillo cuadrado:** supone protección contra todo problema inherente a la salud, los negocios y las cuestiones sentimentales, protección efectiva, que tiene mucho de prodigiosa.

Un **anillo triangular:** mucha suerte en las empresas financieras. En parte el mérito es cosa del destino, y en parte de la habilidad del sujeto.

Un **retículo** (doble o triple cruz): mala suerte en los negocios y poca suerte en la vida sentimental.

Un **punto rojo** bien visible: el sujeto se meterá en problemas por ligereza; se expondrá a severas condenas (incluso la cárcel), por haber manejado sus negocios sin escrúpulos y con una desenvoltura que ronda la inconsciencia.

MONTE DE MARTE
(DEBAJO DEL MONTE DE MERCURIO)

Indica fuerza de ánimo, capacidad de lucha contra el destino y las fuerzas negativas, resistencia a la fatiga, valor, actividad física, tendencia a los estudios.

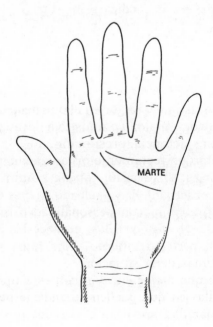

Monte de Marte regular

El sujeto está dotado de una gran seguridad en sí mismo, capacidad de control, valor, amor propio, intrepidez y generosidad.

Las mujeres no tienen necesidad de apoyarse en el «hombro del macho» para sentirse seguras. Están organizadísimas y son muy activas.

Reservan, empero, un cierto margen de tiempo al estudio por el deseo que les acucia de enriquecer su acervo cultural con lecturas, viajes, visitas a exposicioes, museos y conciertos. A ello les ayuda grandemente su excepcional resistencia física.

Monte de Marte poco elevado

Las mismas características del tipo anterior, pero atemperadas.

Monte de Marte elevado

Es índice de un pésimo carácter en el que destacan todas las malas cualidades: maldad e injusticia llevada hasta la tiranía, violencia, jactancia, presunción.

Las mujeres están perfectamente organizadas, pero ¡ojo con contradecirlas! Si se casan con un hombre manso, hacen de él un cordero infeliz y apaleado; si, por el contrario, eligen a un hombre con personalidad o, peor aún, con los mismos defectos de ellas, entonces la unión se convierte en un perfecto infierno —los hijos serán las verdaderas víctimas de la situación.

Las profesiones que mejor encajan con este tipo de mujeres son aquéllas en que pueden «mandar», pero como carecen de humanidad provocan el descontento, la rebeldía, las antipatías; la vida no es fácil ni para ellas. Como subalternas, no resisten mucho tiempo.

Monte de Marte muy elevado y evidente

Las malas cualidades que acabamos de describir están aquí agudizadas: la tiranía llega a la crueldad, la crueldad al delito. A esto hay que añadir la frialdad y el perfecto control de los nervios.

Monte de Marte llano o poco evidente

Es signo de falta de valor, vileza y escasa resistencia física.
Las mujeres son incapaces de tomar una decisión sin tener que recurrir a los consejos de parientes y amigos. Toda relación con sus colegas y jefes en el trabajo está marcada por la falta de sinceridad. No tienen sentido de la responsabilidad, ni espíritu de iniciativa. (Dígase lo propio de los hombres). Esto no quiere decir, sin embargo, que sean personas sin inteligencia.

Monte de Marte deprimido

Los sujetos demuestran las mismas cualidades de los que tienen el Monte de Marte llano.

Significado de otros rasgos

Monte de Marte **muy desarrollado y sin signos:** gran presencia de ánimo.
Monte de Marte **unido al Monte de la Luna:** el sujeto tiene una gran capacidad de aguante, afronta los aconteci-

104

mientos, incluso los más difíciles y tristes, con valor, paciencia y resignación.

Monte de Marte **lleno y rechoncho:** el sujeto está dotado de sangre fría, valor, dominio de sí mismo, calma y serenidad.

Una **estrella:** una magnífica carrera, una posición social envidiable, muchos honores y, además un bienestar económico asegurado.

Una **cruz** bien visible, con los cuatro brazos de igual longitud: peligro de accidentes que el individuo podrá evitar si es prudente.

Un **anillo cuadrado:** protección contra las insidias del mundo y de la mala suerte.

Un **anillo triangular:** muchos honores y una cierta vocación militar. Si se trata de una mujer, inclinación a la vida religiosa y comunitaria.

Un **retículo** (doble o triple cruz): los accidentes pueden ser mortales. Se requiere, pues, mucha prudencia.

MONTE DE LUNA
(DEBAJO DEL MONTE DE MARTE, EN LA PARTE OPUESTA AL MONTE DE VENUS)

Lleva en sí los signos de la fantasía, la memoria, el deseo y la curiosidad de conocer sitios nuevos y todo cuanto sucede en el mundo, afán de enriquecer el propio acervo cultural. Indica también pereza, lujuria, gula y superstición.

Monte de la Luna regular

El sujeto posee una imaginación fecundísima, se siente atraído por las letras. Es una persona melancólica.

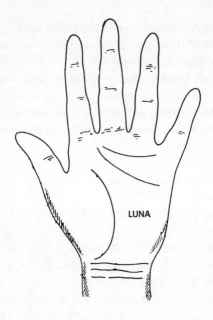

Las mujeres son cultas y estudiosas que pueden ser maestras, periodistas y escritoras.

Los hombres tienen siempre la cabeza entre las nubes, pero son inteligentes, simpáticos y magníficos conversadores. Se dedican a su familia con todo el amor de que son capaces.

Monte de la Luna poco elevado

Los sujetos tienen las mismas cualidades expuestas en el párrafo anterior, pero más reducidas.

Monte de la Luna elevado

Es índice de nerviosismo, irritabilidad, inestabilidad, capricho y superstición.

Las mujeres son coquetas. Desean con toda su alma una

posición social prestigiosa y desahogada. Se les perdona fácilmente su carácter tan poco amable, porque están dotadas de un gran atractivo. Los hombres son inteligentes y poseen gran volutad y versatilildad, pero su susceptibilidad de carácter aleja a sus amigos. Sin embargo, aman profundamente a su familia, si bien no se muestran nunca afectuosos, ni siquiera con los hijos.

Monte de la Luna muy elevado

Los sujetos son simpáticos y cordiales, tienen mucha fantasía y aprecian (quizá en demasía) la buena mesa y los buenos vinos. Sufren en consecuencia, trastornos y enfermedades derivadas de sus intemperancias.

Las mujeres, además de ocuparse con garbo de la casa y la familia, se dedican al periodismo y a los libros infantiles.

Monte de la Luna llano o poco evidente

(Es poco frecuente).
Es un carácter contrario al anterior.

Significado de otros rasgos

Una **cruz** bien definida, con los cuatro brazos de la misma longitud: el sujeto se ve atraído por todo lo que es misterioso; indica asimismo misticismo, sentido religioso, gran generosidad y amor al prójimo. Si la cruz tiene uno o dos brazos de distinta longitud, ello significa mentira, incumplimiento de la palabra empeñada, falta de seriedad profesional.

Una **estrella:** peligro de accidentes y de muerte violenta.

Un **anillo cuadrado:** protección por parte de personas queridas o influyentes. Quiere decir también una fortuna imprevista.

Un **retículo** (doble o triple cruz): las aspiraciones y deseos se verán seriamente obstaculizados por una cantidad de acontecimientos imprevisibles y decididamente hostiles. Si está presente también el anillo cuadrado, todo se resolverá entonces de la mejor manera.

Un **punto rosáceo** indica una serie de obstáculos al éxito de los proyectos y una mala influencia que pesa sobre la vida del sujeto.

Campo de Marte

Está delimitado por los Montes de Júpiter, Saturno, Apolo, Mercurio, Marte, la Luna, la Línea de la Cabeza, la Línea del Corazón y la Línea de la Vida.
Se subdivide en Cuadrángulo, Gran Triángulo y Pequeño Triángulo.

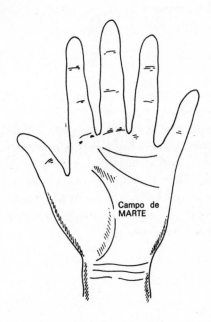

Campo de
MARTE

El Cuadrángulo

Está situado entre la Línea del Corazón, la de la Cabeza, el Monte de Marte y el Monte de Júpiter.

Ancho

Indica carácter sumamente franco, leal, valiente, audaz, intrépido.
El sujeto goza de una salud excelente y de una perfecta rectitud moral. Si se ensancha hacia el centro de la palma, eso quiere decir intolerancia contra la injusticia, rebelión contra toda forma de opresión, gran amor a la libertad, dificultad para habituarse a la disciplina del trabajo y el estudio. Si el Cuadrángulo se presenta con líneas sinuosas que lo hacen irregular, líneas que se enriquecen con otras suplementarias parecidas a unas franjas, eso significa carácter tímido, melancólico, débil, indeciso.

Estrecho

Indica un carácter desconfiado y muy cauto, ahorrador, retorcido e hipócrita; se nota también una cierta tendencia a los trastornos cardiovasculares. Si el Cuadrángulo se estrecha sólo en la parte baja, eso supone timidez, indecisión, capacidad de disimulo de los propios sentimientos; pero también una buena dosis de egoísmo. Si está atravesando por varias línes más bien profundas, ello es indicio de inmadurez, falta de sentido común, incapacidad para afrontar las dificultades.

Otros rasgos del Cuadrángulo

Anillos

Redondo, junto a la línea del Sol y desplazado hacia el anular: trastornos de la vista que se pueden curar con intervenciones quirúrgicas y otros remedios. Si hay varios anillos redondos concéntricos bajo el Monte de Saturno, ello indica trastornos nerviosos, fácil irritabilidad.

Cruces bajo el Monte de Saturno

Cruz con los brazos de igual longitud: el sujeto se ve fuertemente atraído por el estudio de las ciencias ocultas o por el misticismo; presenta asimismo una cierta tendencia a la vida religiosa.
Cruz con los brazos desiguales: se trata de un sujeto exaltado, supersticioso e inclinado a la magia.
Dos cruces con los brazos iguales: carácter fuertemente religioso y místico.
Dos cruces con los brazos desiguales: el sujeto es exaltado y supersticioso.
Dos cruces bajo el Monte de Saturno y la Línea del Sol: el sujeto se ve dotado de poderes de médium no indiferentes.
Cruz bajo el Monte de Júpiter (de igual longitud): esto indica ateísmo, escepticismo, carácter cerrado, interés por la política, afición a los estudios filosóficos.

Estrellas

Una estrella entre la Línea del Sol y el Monte de Saturno: gran bondad, notable dulzura de carácter, generosidad con el prójimo.

111

Dos estrellas bajo la Línea del Sol y el Monte de Mercurio: afición a los estudios de medicina.

El Gran Triángulo

Está formado por la Línea de la Vida, la de la Cabeza y la del Sol.

Bien definido (sin flecos): el sujeto goza de buena salud y no tendrá nunca enfermedades serias ni accidentes. Indica asimismo, una inteligencia viva, una notable facilidad para aprender y un gran equilibrio moral.

Ancho: significa bondad de ánimo, nobleza de sentimientos, sensibilidad, un poco de timidez, honestidad cristalina, generosidad.

Parecido a un rectángulo: el sujeto tiene aptitud para la magia y las ciencias ocultas.

Estrecho: espíritu de economía llevado hasta la avaricia, ruinidad, vileza.

Situado muy abajo (hacia las rayas del brazalete): indica gran pereza, falta de entusiasmo por las artes, el estudio y las relaciones humanas. Al sujeto le gusta estar a solas consigo mismo, si bien no se ve acompañado siquiera por la música o un buen libro. (Si vive en el campo se contenta con contemplar la naturaleza).

Ángulo Superior (o de la Inteligencia)

Está compuesto por la Línea de la Vida y de la Cabeza.
Bien visible: inteligencia viva y equilibrio moral.
Poco visible y líneas inciertas: es una clara señal de inteligencia limitada, ruinidad y falta del sentido del humor.

Ángulo Inferior (o de la Salud)

Está compuesto por la Línea de la Vida y la del Sol.
Bien visible: salud perfecta, buen equilibrio y sana inteligencia.
Líneas mal trazadas: salud delicada, aunque el sujeto no está propiamente enfermo.
Líneas visibles, pero no perfectas: la salud es apenas discreta.
Ángulo muy puntiagudo: indica avaricia y ruinidad.

Ángulo de la Longevidad

Está compuesto por la Línea de la Cabeza y la de la Salud.
Líneas bien visibles y marcadas: el sujeto tendrá una vida larga y sanísima.
Ángulo recto: predisposición para el estudio de las ciencias ocultas y poderes de médium.
Ángulo obtuso: infidelidad, volubilidad y ligereza de carácter.

Otros rasgos del Gran Triángulo

En el Ángulo Superior

Una **cruz** con los cuatro brazos de igual longitud, situada hacia el centro del Gran Triángulo: el sujeto es un poco pendenciero, está predispuesto a los dolores de cabeza.
Una **estrella:** el sujeto tiene una vida difícil, marcada por las luchas, los disgustos y el infortunio.
Un **punto muy marcado:** peligro de graves accidentes. ¡Prudencia!

En el Ángulo Inferior

Un **anillo redondo:** carácter voluble, pendenciero hasta la violencia y brutalidad; además, infidelidad, incumplimiento de la palabra empeñada.

En la base del Gran Triángulo (casi donde termina el Monte de Venus y empieza el de la Luna).

Un **anillo triangular:** un acontecimiento tan importante que causará un cambio total positivo en la posición social y económica del sujeto.

El Pequeño Triángulo

Está formado por la Línea de Saturno, la Línea de la Cabeza y la del Sol.

Bien definido (sin flecos): el sujeto es muy inteligente y ávido de saber; muestra asimismo curiosidad por las ciencias ocultas, las ciencias exactas y la astronomía. Le gustan los objetos raros y es un buen coleccionista.

Parecido a un rectángulo: predisposición para todo cuanto es misterioso y extraño. El sujeto se dedica con mucho gusto a las ciencias ocultas y el espiritismo.

El brazalete

Se trata de la última parte de la mano y la primera del pulso.

Suelen ser tres las rayas que lo forman: la primera (inmediatamente después de la mano) es la de la salud; la segunda, la de la riqueza; la tercera, la de la felicidad.

Cuando las tres son lisas, claras y colocadas a la misma distancia unas de otras, eso indica suerte en todo. Cuando, por el contrario, son irregulares o incompletas, esto significa que en la vida del sujeto habrá dificultades de todo tipo.

Significado de otros rasgos

Una **cruz** (o cruces) situada entre una y otra raya o sobre una (dos o tres), eso indica una vida con suerte alterna, pero que se resuelve, al fin, con una fortuna inesperada.

Un **anillo triangular normal**: vida larga y salud perfecta.

Un **anillo triangular pequeño, con una minúscula cruz en medio**: suerte en todos los campos.

Un **anillo triangular muy pequeño**: matrimonio acertado desde el punto de vista financiero, no del sentimental.

Un **puntito rosáceo** (o más oscuro que el color de la piel): enfermedad seria que se puede evitar con las oportunas atenciones médicas.

Ausencia de cualquiera de las tres rayas básicas: el sujeto carecerá de salud, de riqueza o de felicidad.

Rayas incompletas: variantes más o menos acusadas en las cualidades asignadas.

Las líneas de la mano

LÍNEA DEL CORAZÓN

Sale del Monte de Júpiter y llega hasta el de Mercurio.
Comporta los signos de la vida afectiva (amor, amistad),
alegrías, tristezas, suerte, infortunio, trastornos referidos
al corazón y a la circulación.

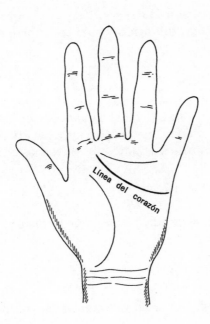

Larga, bonita, clara, curvada suavemente, ligeramente rosácea

Significa amor afortunado, bondad, profundo sentido de humanidad y de justicia.

Larga, pero se detiene poco antes del Monte de Júpiter

La fortuna en el amor no es segura.

Corta (no llega a ninguno de los dos Montes citados)

Egoísmo, insensibildad, falta de humanidad.

Fina delicada

El sujeto no manifiesta sus sentimientos, porque en realidad tiene el corazón árido y sólo se preocupa de su propio bienestar.

En forma de cadena

Inconstancia en los afectos, jactancia por unos amores imaginarios; vanidad, ligereza de carácter. Predisposición a la anemia, trastornos linfáticos y trastornos circulatorios.

Recta sin ramificaciones

Carencia de generosidad y de amor al prójimo y a la naturaleza.

De color palidísimo

Fuerte sensualidad, inmoralidad en las costumbres. El

sujeto está destinado a hacer sufrir a las personas que le aman (la vejez es muy triste para él).

Recta sin fracturas, muy marcada y atraviesa toda la mano

Carácter cruel y violento (típico de los dictadores y personas prepotentes). Si se acercan mucho a la Línea de la Cabeza, ello significa carácter indeciso, tímido, pero falso, hipócrita, egoísta, calculador y frío. Caben trastornos respiratorios y predisposición al asma. Si, además se une a la Línea de la Cabeza o a la de la Vida y forma una cruz sobre el Monte de Júpiter, esto significa que el sujeto tendrá un matrimonio difícil, lleno de incomprensiones, tal vez la ruptura definitiva.

Un poco torturosa

Es signo de avaricia.

Falta en una de las manos

Denota falta de amor al prójimo, insensibilidad, afán de dinero y de poder. Predisposición a graves enfermedades del corazón. Si falta en ambas manos, cabe decir que el sujeto es inmoral, villano, malvado. Es posible una muerte prematura y violenta.

Doble

Gran bondad y generosidad, amor constante, culto a la amistad.

Sobrepasa el Monte de Júpiter

El sujeto malgasta sus energías en amores inútiles y desordenados.

Termina con dos ramas abiertas en el Monte de Júpiter

Es índice seguro de suerte, felicidad, dicha, amor.

Termina en el Monte de Júpiter,
pero cerca de la unión con el índice

Vida desgraciada, llena de ansias y preocupaciones. Si la línea termina exactamente sobre el Monte de Júpiter, eso indica amor propio, excesiva osadía, carácter simpático, rico de afectos y amistades.

Termina a caballo entre el índice y el dedo medio

Vida con gran laboriosidad (no muy afortunada), hasta una edad muy avanzada. Si hay una fractura que se adelanta hacia el Monte de Júpiter, eso denota fortuna tardía, pero segura; bondad, carácter dulce y enérgico al mismo tiempo.

Tiene tres ramas que se dirigen al Monte de Júpiter

Indica buena suerte (un poco tardía), llena de honores y bienestar.

Termina bajo el Monte de Saturno,
con alguna fractura al final

Destino poco afortunado, peligro de accidentes y de muerte violenta. Si las fracturas son muchas y claras, ello quiere decir que el sujeto, de carácter sensibilísimo, tendrá muchos amores, pero ninguno afortunado.

Se interrumpe bajo el Monte de Apolo

Desilusiones de tipo político-social. Trastornos circulatorios.

Se interrumpe bajo el Monte de Mercurio

El sujeto es astuto, poco sensible, calculador, hábil para los negocios y las cuestiones sentimentales.

Significado de otros rasgos

Una **cruz:** enfermedad cardiovascular; posibilidad de accidentes, que con prudencia se pueden evitar.
Una **estrella:** el accidente es seguro e inevitable.
Una **rama** entre el índice y el dedo medio: vida feliz.
Una **rama** que apunta hacia el Monte de Mercurio: bienestar económico.
Un **punto claro:** disgustos, enfermedades, amor poco afortunado.
Pequeñas **líneas diseminadas:** mala suerte, facilidad para caer en trastornos cardiovasculares.

LÍNEA DE LA CABEZA

Sale del Monte de Júpiter y llega al de la Luna.
Destaca los signos del carácter, la inteligencia, el ingenio, la sensibilidad, las enfermedades del sistema nervioso.

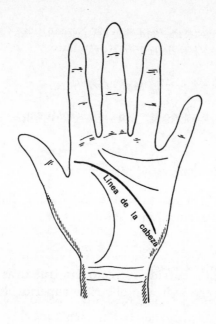

Línea de la cabeza

Bien trazada y marcada

Fuerza de voluntad, espíritu de observación, objetividad, valor, energía física, salud discreta.

Es recta y recorre toda la palma hasta el canto de la mano

Indica ruindad, avaricia, aptitud para los trabajos de precisión.

Es recta, sin fracturas y llega hasta el Monte de la Luna

El sujeto es muy idealista y traduce sus emociones en poesía. Si dicha línea se dirige hacia el brazalete, eso indica una clara tendencia al estudio de las ciencias ocultas y a la práctica del espiritismo.

Un poco inclinada hacia el Monte de Saturno

Deshonestidad, hipocresía, falta de escrúpulos, aptitud para los negocios.

Prolongada y muy marcada (poco común)

Maldad llevada hasta la crueldad, tendencias dictatoriales.

Muy fina

Abulia total. Si el recorrido es recto, sin fracturas y tiene un color pálido, eso indica inteligencia superior, facilidad de aprender.

Corta, pero recta

Si está bien marcada, con un color evidente, eso indica que el sujeto es fácil presa de la pasión amorosa y que es celosísimo. Si el color es más pálido, tales características están atemperadas.

En forma de cadena

Es índice de una buena inteligencia, pero no respaldada por la constancia, ni por la capacidad de concentración.

Distante de la línea de la Vida

Gran confianza en los propios recursos, audacia, temeridad. Si recorre un cierto trecho unida a la Línea de la

Vida, esto es una señal de timidez, suavidad de carácter, sensibilidad.

Termina en la Línea del Corazón

Los sentimientos son nobles y profundísimos.

Doble

El sujeto disfruta de una vida excepcionalmente fácil y dichosa.

Tortuosa

Si lo es mucho, el sujeto tiene un carácter imposible por su egoísmo e irascibilidad. Si lo es ligeramente, los defectos son menores.

Termina bajo el Monte de Apolo

Instintos muy acusados, gran capacidad de previsión de los acontecimientos.

Significado de otros rasgos

Una **cruz** bajo el Monte de Apolo, dentro de un anillo cuadrado: el sujeto puede caer víctima de accidentes.
Un **anillo triangular** junto al canto de la mano: inteligencia viva, deseo de enriquecer el propio acervo cultural, facilidad de palabra.
Una **rama** que llega hasta el Monte de Mercurio: aptitud para los negocios poco honrados.
Una **rama** que se dirige hacia el Monte de la Luna: posibilidad de hurtos.

124

Una **rama** que llega hasta el Monte de la Luna: voluntad de triunfar respaldada por una intuición excepcional.

Dos ramas, una de las cuales llega al Monte de Mercurio y la otra al Monte de la Luna: viva fantasía plasmada en obras comercializadas (libros, cuadros, orfebrería...), éxito, grandes beneficios.

Un **punto oscuro** sobre la línea de la Cabeza: predisposición para el dolor de cabeza.

Un **punto rosáceo o rojo:** heridas en la cabeza. Si se encuentra, además, debajo del Monte de Apolo: enfermedad de los ojos.

Rayos que se dirigen hacia los distintos montes: éxito, honores, matrimonio afortunado con una persona de gran cultura.

LÍNEA DE LA VIDA

Se extiende desde el Monte de Júpiter hasta el Brazalete. Se refiere a las enfermedades, la duración de la vida, la suerte.

Larga y bien trazada

Indica larga vida, sin enfermedades. Si la línea no presenta signos particulares (cruces, estrellas, puntos, etc.), el sujeto tendrá, además, mucha suerte debido al equilibrio de su carácter. Si es doble, habrá una vejez prolongada y feliz (perfecta lucidez de mente, salud, afecto y bienestar económico).

Corta, pero visible en una sola mano

Indica vida breve. Si la línea corta es visible en ambas manos se puede determinar la duración de la existencia

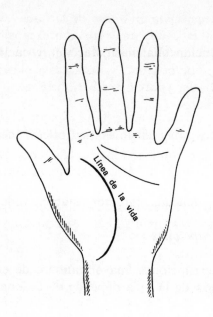

Línea de la vida

sumando la longitud de las dos líneas. Si a la mitad del Monte de Venus se desdobla en otra línea más corta, eso quiere decir que el sujeto tendrá larga vida, pero sembrada de accidentes y enfermedades.

*Incompleta, pero en un cierto punto se junta
a la Línea del Destino*

Vida larga llena de satisfacciones.

En forma de cadena

Salud delicada, sistema nervioso lábil, sensibilidad morbosa.

Fina

Salud delicada, melancolía, insatisfacción, vocación inte-lectual.

Finísima

Se trata de sujetos hipersensibles, neuróticos, inestables.

En zigzag

Salud sumamente delicada, carácter voluble e indeciso.

Numerosas interrupciones

Cuantas más interrupciones, mayor número de enferme-dades. La duración de la vida depende de la longitud de la línea.

Cortada

Si pasa en una sola mano: enfermedad muy grave. Si es en ambas manos, esta enfermedad es incurable.

Unida a las líneas del Corazón y de la Cabeza

En una sola mano: peligro de muerte violenta o de graví-simo accidente.
En ambas manos: la muerte violenta o el gravísimo acci-dente son seguros e inevitables.

Significado de otros rasgos

Una **cruz** con los cuatro brazos de igual longitud: desgracias o graves incomprensiones familiares. Infancia triste. Una **cruz** con los cuatro brazos perfectamente iguales, situada al final de la Línea de la Vida: salud tan delicada, que producirá una existencia desdichada. Si los demás signos son positivos, eso indica que el sujeto tendrá una vejez larga y feliz.

Una **estrella:** incomprensiones familares graves, desgracias, infancia triste.

Una **cruz y una estrella juntas:** la situación es aun más grave.

Un **anillo triangular:** carácter superficial y chismoso.

Ramas que se dirigen hacia el brazalete: vejez llena de tribulaciones económicas y sentimentales.

Una **rama** que parte del punto más bajo y llega al Monte de la Luna: reumatismo, artritis y artrosis; posibilidad también de trastornos respiratorios.

Ramas que apuntan hacia los dedos: muchas cualidades positivas.

Una **raya** que parte del Monte de Venus, corta la Línea de la Vida y se para hacia la mitad de la palma: disgustos, preocupaciones.

Una **línea que se bifurca** hacia la parte alta de la mano: enfermedad.

Un **punto profundo:** herida por accidente.

Un **punto coloreado** dirigido hacia el dedo medio: grave enfermedad o herida que interesa a las articulaciones.

Una **mancha** azul o violácea: enfermedad nerviosa.

Línea de la Vida de color violáceo: anémia y linfatismo. Si es azulada: carácter colérico, que influye en la salud y en las relaciones sociales.

Línea de la Vida que **llega al Monte de Apolo,** después de haber tocado el Monte de Marte: vida afortunada.

LÍNEA DEL DESTINO. (de Saturno o de la Fortuna)

Comienza por encima de la muñeca, recorre la parte media de la mano y se para bajo el Monte de Saturno o el de Mercurio (a veces nace en otros puntos).
Indica fortuna o infortunio, bienestar económico o miseria, éxito o fracaso en el amor.

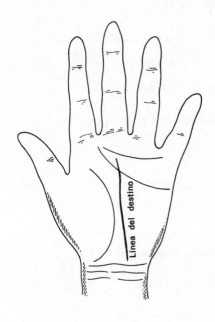

Muy clara y larga; en el Monte de Saturno
se divide en dos ramas

Éxito en todos los terrenos. Si termina incluso en el arranque del dedo medio: riquezas por herencia o por el juego.

Nace en la Línea de la Vida

Cambio favorable en la vida del sujeto, en la edad oportuna.

Nace en el Campo de Marte

El cambio favorable es hacia los 20 años.

Nace en el Monte de la Luna

Cambio favorabilísimo (matrimonio con persona enamorada e importante).

Nace en la Línea de la Cabeza

Cambio favorable hacia los 30 años.

Nace en la Línea del Corazón

Para que haya el cambio favorable hacia los 40 años, la línea debe ser nítida, rosácea y sin interrupciones.

Nace en el Brazalete y termina más allá
de la segunda falange del dedo medio

Frecuentes disgustos, fracasos y desilusiones.

Suben unas ramas en dirección a los dedos

Pueden registrar verdaderos golpes de fortuna (tantos cuantas sean las ramas). Si las ramas descienden hacia el pulso, eso significa dificultades financieras, fracasos económicos, malversaciones de dinero por parte de empleados o familiares.

Se interrumpe en distintos puntos de su recorrido

Cada fractura marca un episodio desagradable en lo económico.

Se interrumpe a la altura de la Línea de la Cabeza

Suerte adversa hacia los 30 años.

Se interrumpe a la altura de la Línea del Corazón

Fortuna, felicidad, matrimonio acertado, hijos sanos.

Tocada por unas líneas horizontales (no atravesada)

El individuo se ve envidiado por sus cualidades, pero eso no le afecta.

Nace con pequeños signos, pero se vuelve después recta y nítida hasta el Monte de Saturno

Al principio hay dificultades, que se ven superadas por acontecimientos afortunados.

Significado de otros rasgos

Una **cruz** con los cuatro brazos de igual longitud: cambios bastante buenos, al término de períodos sembrados de dificultades.
Una **cruz** con los brazos desiguales, torcida o en forma de X: los resultados no son tan brillantes como en el caso anterior.
Una **estrella:** indica una desgracia de cualquier género.

Un **punto:** grave enfermedad, accidente o caída que provoca una disminución física permanente.

LÍNEA DEL ÉXITO (o del Sol)

Nace en el brazalete y larga, derecha y sin fracturas se dirige al Monte de Apolo, donde se para.
Indica éxito, celebridad, riqueza.

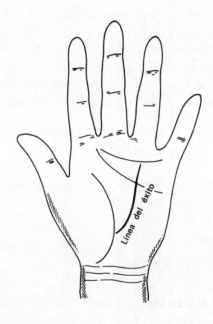

Profundamente marcada

Además de riqueza, fama, honor y gloria.

Su extremidad se divide en tres ramas

El mismo significado

*Termina bajo el Monte de Apolo con numerosas
líneas pequeñas*

Fracasos, pérdida de dinero, negocios fallidos, traición de
los socios.

Nace en el Campo de Marte

El éxito profesional sobreviene hacia los 20 años.

Nace en el Monte de la Luna

El sujeto alcanza la gloria gracias a su talento e influencias.

Nace en la Línea de la Cabeza

Alcanza una buena posición hacia los 30 años y sin esfuerzo.

Nace en la Línea del Corazón

El éxito llega hacia los 40 años o poco más.

Nace en el Monte de Marte

La notable voluntad del sujeto se ve premiada en la edad
madura.

Atravesada por muchas líneas horizontales

Para conseguir el éxito habrá que vencer muchos obstáculos, no todos superables.

Ausencia de la Línea del Éxito

Es inútil esperar: el éxito no llegará nunca.

Significado de otros rasgos

Una **cruz** con los cuatro brazos de la misma longitud: éxito seguro.
Una **cruz** con los cuatro brazos desiguales: fracaso seguro.
Una **estrella**: todos los esfuerzos para triunfar serán inútiles.
Un **anillo cuadrado** que enmarca una cruz y está situado entre la Línea del Éxito y la de la Cabeza: enfermedad muy grave que dejará huellas apreciables en el carácter y en el sistema nervioso.
Un **anillo redondo**: fracaso en los negocios y en el trabajo.

LÍNEA DE LA SALUD (o hepática)

Comienza en la Línea de la Vida y se dirige hacia el Monte de Mercurio, después de haber atravesado la Línea del Corazón. Con los años, se va haciendo más clara.

Muy clara

El sujeto está destinado a tener una vida larga y sana.

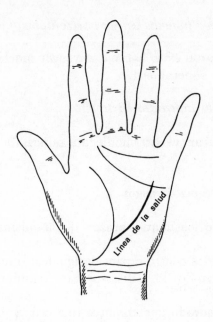

Nace en la Línea de la Vida

El sujeto puede sufrir trastornos cardiovasculares y agotamiento nervioso. Por su escasa resistencia física no
puede hacer deporte.

Nace en el Monte de la Luna y atraviesa el Monte de Marte

Carácter exuberante, pero voluble y caprichoso. El éxito
llega gracias a la facilidad de palabra del sujeto.

Tortuosa

Irascibilidad, trastornos biliares.

135

Nace en el Monte de la Luna y traza un semicírculo

Interés acusado por las ciencias ocultas. Poderes de médium.

Se interrumpe de trecho en trecho

Trastornos digestivos, lo cual produce irritabilidad e infelicidad.

Cortada por líneas horizontales

Enfermedades bastante graves.

Significado de otros rasgos

Una **cruz** con los brazos iguales: buena salud y carácter equilibrado.
Una **cruz** con los brazos desiguales: salud precaria, tipo irascible.
Una **estrella** en la mano de una mujer: abortos, partos difíciles, esterilidad.
Una **estrella** en la mano de un hombre: impotencia sexual.
Línea de la salud de **color rosáceo:** buena salud.
Línea de la salud de **color oscuro:** mala salud.
Línea de la salud **casi incolora:** salud delicada.

LÍNEA DE LA INTUICIÓN

Nace en el Monte de la Luna, describe un arco y llega al Monte de Mercurio.
Indica los viajes, el gusto por las ciencias ocultas, los po-

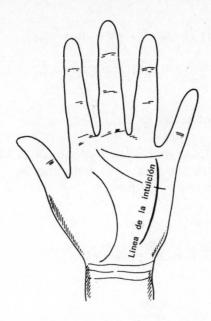

Línea de la intuición

deres de médium. Es prerrogativa de unos cuantos privilegiados.

Recta, bien marcada, sin fracturas

Intuición, presentimiento, poderes de médium.

Atravesada por muchas líneas horizontales y verticales

Indica una vida de viajes, que el sujeto deseará describir en libros.

*Se interrumpe en el Monte de la Luna,
en una especie de isla*

Los poderes de médium son verdaderamente notables.

137

Muestra una estrella bien visible (o una cruz)

Enfermedad muy grave que se puede curar.

VÍA LÁCTEA (o Lasciva)

Es una serie de líneas paralelas al Monte de la Luna. Indica una notable tendencia al misticismo, los presentimientos, los poderes de médium.

Recta, bien trazada y vertical

Los poderes ocultos están presentes.

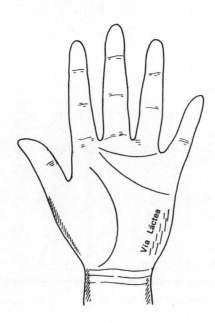

Torcida

Es signo de depravación sexual.

LOS ANILLOS

Son semicírculos situados debajo de los dedos (no todos los tienen).

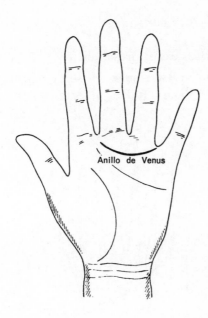

Anillo de Venus

Anillo de Venus

Comienza entre el dedo meñique y el anular y termina entre el dedo medio y el índice, es signo de voluptuosidad y de gusto por las ciencias ocultas.

Entero, en una mano seca y con los dedos no puntiagudos

Profundo interés por las ciencias ocultas.

Interrumpido o incompleto en la parte central

Notable actividad sexual. Si además la mano es mórbida, sudada y con los dedos muy puntiagudos, depravación.

Una estrella en el centro: violencia, crimen pasional, celos exagerados.

Anillo de Júpiter

Está situado bajo el dedo pulgar y se desarrolla en arco hasta el Monte de Venus. Indica muerte violenta por venganza o condena.

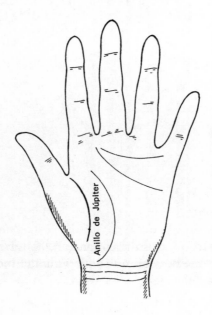

Anillo de Salomón

Está situado en la base del índice. El sujeto es equilibrado.

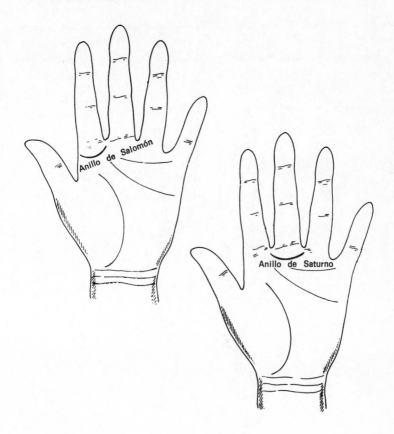

Anillo de Saturno

Se encuentra bajo el dedo medio. El sujeto muestra gran afición al estudio y a la investigación. Si termina en dos o más líneas, quiere decir que en la vida del individuo hay diversos amores.

Anillo de Apolo

Está debajo del anular. Si es nítido, sin fracturas, el sujeto es simpático, ponderado, generoso, nada chismoso. Si está

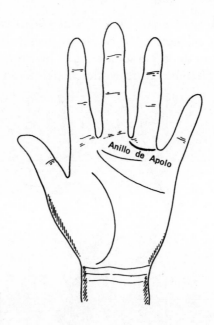

interrumpido o con líneas más o menos numerosas hacia arriba o hacia abajo, la persona es antipática, chismosa, petulante, presuntuosa.

LAS SEIS LÍNEAS MENORES

Línea del Amor

Arranca de la base del meñique, toca la Línea del Corazón y el Monte de Mercurio y llega al centro de la palma (se trata de una serie de líneas desordenadas).
Si presenta un *profundo surco*, la unión es acertadísima y feliz.
Si se curva hacia el punto interdigital «meñique-anular», el matrimonio es seguro. Si se curva hacia el centro de la mano: muerte de la persona amada, lágrimas de amor.
Si se bifurca al final: ruptura del matrimonio o del noviazgo.

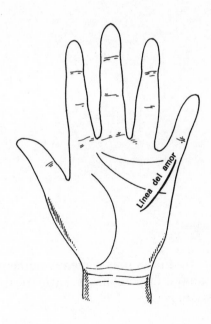

Si tiene una vertical que la corta: obstáculos que asedian la unión.

Una cruz, una estrella o un punto oscuro: viudedad.

Línea del Amor doble: traiciones en el amor.

Nace en el canto de la mano y llega al Monte de Apolo: unión feliz.

Línea de los hijos (serie de líneas verticales sobre la Línea del Amor)

Carencia de esa línea: incapacidad para procrear

Cada línea: un hijo (las más largas, varones).

Líneas bien rectas: hijos sanos.

Líneas torcidas: hijos enfermizos o decididamente enfermos.

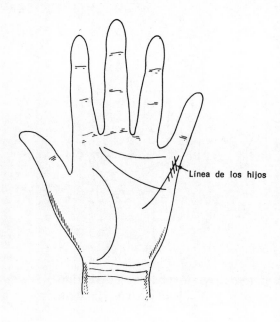

Línea de los hijos

Líneas cortadas: abortos (tantos cuantas interrupciones).
Cruces, estrellas, puntos: indican la muerte de algún hijo.

Línea de los Viajes

Una serie de rayitas horizontales sobre el Monte de la
Luna.

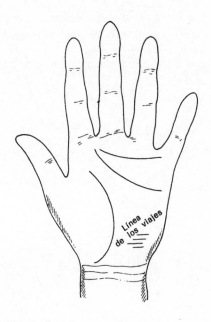

Larga y llega al centro de la mano

Si es ascendente: viaje positivo, divertido.
Si es descendente: viaje negativo, sin éxito.

Línea de los Disgustos

Nace en el Monte de Venus, atraviesa la Línea de la Vida y se para en medio de la palma (o casi).
Corta: disgusto superable, gracias a la voluntad del sujeto.

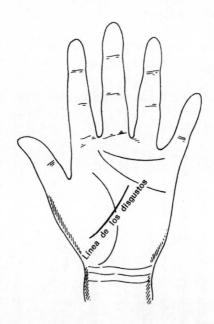

Si se cruza con la Línea del Destino: el disgusto deja profundas huellas en el carácter y en la salud.
Si se cruza con la Línea del Éxito: el disgusto proviene de un fracaso profesional.
Si termina en la Línea del Éxito: disgustos en el trabajo.
Si termina en el Campo de Marte (sin signos): disgustos por pérdida de dinero.

Si termina en un punto sobre la Línea del Corazón: disgustos por culpa del amor traicionado o contrariado.

Si termina en la Línea de la Cabeza: los disgustos causan serios trastornos nerviosos.

Comienza con una *estrella, en el Monte de Venus y se dirige hacia la Línea de la Vida*: dolor por el amor perdido o la muerte de una persona querida.

Línea de las Enfermedades

Una serie de líneas que parten de la Línea de la Vida, trazan un semicírculo y terminan poco antes del centro de la mano.

Corta, nítida, sin fracturas: enfermedad breve y de fácil curación.

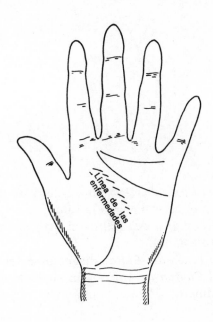

Nace en un punto oscuro de la Línea de la Vida: trastornos artríticos, agotamiento nervioso, intolerancia a alimentos y medicinas.

Sobrepasa la Línea del Corazón: peligro de accidentes, fracturas, caídas.

Línea de los Procesos

Cruz formada por la Línea de las Enfermedades y la de los Disgustos.

Línea de los Procesos bien clara, sin otros signos que la cruz indicada: pleito con intervención legal; la cosa se resuelve sin daños.

Línea de los Procesos que parte de una estrella en el Monte de Venus: litigio por cuestión de herencia.

Línea de los procesos que se dirige hacia la Línea del Éxito y forma una cruz: el pleito se falla en contra del sujeto del examen.

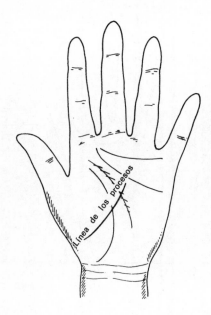

Indice

Introducción   5

El apretón de manos   7

Temperatura y color de la mano   9

Forma de la mano y su significado   11
  Mano ancha y firme   11
  Mano abierta   12
  Mano estrecha   13
  Mano común   14
  Mano fea   15
  Mano tosca   16
  Mano armoniosa   17
  Mano de dedos angulosos   18
  Mano bonita   19
  Mano mixta   20

Los dedos descubren el alma humana   21
  Dedos cortos   21
  Dedos de mediana longitud   21
  Dedos largos   22
  Dedos muy largos   22
  Dedos robustos   22
  Dedos finos   23
  Dedos gordos   23
  Dedos delgados   24
  Dedos ligeros, lisos y sin nudos   24
  Dedos nudosos   24
  Dedos puntiagudos   25
  Dedos cuadrados   25

Dedos espatulados 25
Punta oval de los dedos 26

Cada dedo tiene su significado 27

El pulgar (dedo de Venus) 27
El pulgar largo. 28
El pulgar largo con la primera falange muy larga . 28
El pulgar larguísimo 28
El pulgar con las falanges de igual longitud . . . 29
El pulgar corto 29
El pulgar cortísimo 29
El pulgar grueso 29
El pulgar muy grueso y robusto 30
El pulgar ligero 30
El pulgar ancho 30
El pulgar largo y ancho 30
El pulgar nudoso 31
El pulgar liso, sin signos 31
El pulgar rígido 31
El pulgar flexible 32
El pulgar recto en sentido vertical 32
El pulgar vuelto hacia fuera de un modo natural. . 32
El pulgar vuelto decididamente hacia fuera . . . 32
El pulgar vuelto hacia el interior de la palma . . 33
El pulgar separado del índice por un gran arco . . 33
El pulgar que forma un ángulo en la base . . . 33
El pulgar de longitud y posición normal (armonioso) 29

Las falanges del pulgar 34
Primera falange 34
De forma normal 34
Ligera y alargada 34
Muy ligera y alargada 35
Corta 35
Cortísima 35
Redonda 35
Puntiaguda 36
Muy corta y redonda 36
Segunda falange 36
Ligera y larga 36
No muy fina, pero muy larga 37
Más larga que la primera 37

Ligera y corta 37
Ligera y corta, pero más corta que la primera . . 37

Otras características del pulgar 38
En la primera falange 38
En la segunda falange 38

EL ÍNDICE (DEDO DE JÚPITER) 38
El índice recto y armonioso 39
El índice puntiagudo 39
El índice cuadrado 40
El índice espatulado 40
El índice cónico 41
El índice largo y fusiforme 41
El índice demasiado largo 41
El índice corto 42
El índice nudoso 42
El índice liso (sin signos particulares, ni nudosidad) 42
El índice fino 43
El índice grueso 43
El índice flexible 43
El índice que se separa mucho de los otros dedos . 44
El índice largo, bien recto y sin nudosidades . . 44
El índice muy largo, pero rígido 44
El índice corto, robusto, tosco y duro 45
El índice corto, robusto, tosco, duro y espatulado . 45
El índice nudoso, pero recto 45
El índice más largo que el anular 45

Las falanges del índice 46
Primera falange 46
Larga y ligera 46
Corta 46
Carnosa 47
Delgada 47
Segunda falange 47
Larga y delgada 48
Corta 48
Carnosa 48
Delgada 49
Tercera falange 49

Larga, fuerte, con un nudo evidente en la unión con
la mano 49
Robusta, muy larga y gruesa en la base 49
Corta 50
Rechoncha y carnosa 50
Delgada 50

Otras características del índice 51
En la primera falange 51
En la segunda falange 51
En la tercera falange 52
En las tres falanges a la vez 52

EL DEDO MEDIO (DEDO DE SATURNO) 52
El dedo medio fino y ligero 53
El dedo medio corto 53
El dedo medio tosco y cuadrado 54
El dedo medio espatulado 54
El dedo medio nudoso 54
El dedo medio liso y sin signos 55
El dedo medio grueso 55
El dedo medio delgado 55
El dedo medio puntiagudo 55
El dedo medio ancho y torcido 56
El dedo medio vuelto hacia el índice . . . 56
El dedo inclinado hacia el anular 56

Las falanges del dedo medio 57
Primera falange 57
Puntiaguda 57
Cuadrada 57
Corta 58
Muy larga, con el pulpejo rechoncho 58
Larga, pero gruesa (no grasa) 58
Con el extremo redondeado y el pulpejo carnoso . 59
Delgada 59
Segunda falange 59
Larga 59
Corta 60
Rechoncha 60
Delgada y seca 60
Tercera falange 60

Larga 61
Corta 61
Muy corta 61
Rechoncha 61
Delgada y seca 62

Otras características del dedo medio 62
    En la primera falange 62
    En la segunda falange 62
    En la tercera falange 63

EL ANULAR (DEDO DE APOLO) 63
    El anular largo 64
    El anular larguísimo 64
    El anular corto 64
    El anular excesivamente corto 64
    El anular puntiagudo 65
    El anular cuadrado 65
    El anular muy liso y sin signos 65
    El anular con nudos evidentes 66
    El anular de la misma longitud que el dedo medio 66
    El anular más largo que el índice 66
    El anular más corto que el índice 66

Las falanges del anular 67
    Primera falange 67
    Larga 67
    Corta 67
    Rechoncha y carnosa 67
    Delgada y nerviosa 68
    Segunda falange 68
    Larga 68
    Corta 68
    Rechoncha y carnosa 69
    Delgada y seca 69
    Tercera falange 69
    Larga 69
    Corta 69
    Rechoncha y carnosa 70
    Delgada y seca 70

Otras características del anular 71

En la primera falange 71
En la segunda falange 71
En la tercera falange 71

EL MEÑIQUE (DEDO DE MERCURIO) 72
El meñique largo y fino 73
El meñique muy largo y fino 73
El meñique corto 73
El meñique muy corto 73
El meñique fino y puntiagudo 74
El meñique cuadrado 74
El meñique espatulado 75
El meñique con la primera falange curvada hacia
dentro 75
El meñique mórbido y flexible 75
El meñique mórbido, flexible y fino . . . 76
El meñique grueso y tosco 76
El meñique con nudos evidentes 76
El meñique delgado, seco y muy fino . . . 76

Las falanges del meñique 77
Primera falange 77
Larga y fina 77
Mucho más corta que las otras dos 77
Cuadrada 78
Espatulada 78
Rechoncha y carnosa 78
Delgada y seca 79
Segunda falange 79
Larga y fina 79
Corta 80
Rechoncha y carnosa 80
Delgada y seca 80
Tercera falange 81
Larga y fina 81
Corta 81
Rechoncha y carnosa 82
Delgada y seca 82

Otras características del meñique 82
En la primera falange 82
En la segunda falange 83
En la tercera falange 83

Los montes   84

Monte de Venus (en la base del pulgar)   84
   Monte de Venus regular   84
   Monte de Venus poco elevado   85
   Monte de Venus llano o poco evidente   86
   Monte de Venus estrecho, no carnoso   86
   Monte de Venus poco elevado y sin líneas . . .   86
Significado de otros rasgos   87

Monte de Júpiter (en la base del índice)   88
   Monte de Júpiter regular   88
   Monte de Júpiter poco elevado y sin rasgos eviden-
   tes   89
   Monte de Júpiter elevado y claro   89
   Monte de Júpiter muy elevado y claro   90
   Monte de Júpiter llano o poco evidente   90
   Monte de Júpiter deprimido :   90
   Monte de Júpiter situado entre el índice y el dedo
   medio   90
Significado de otros rasgos   91

Monte de Saturno (en la base del dedo medio) . . .   92
   Monte de Saturno regular   93
   Monte de Saturno poco elevado   93
   Monte de Saturno elevado y claro   93
   Monte de Saturno muy elevado y claro   93
   Monte de Saturno llano o poco evidente . . .   94
   Monte de Saturno deprimido   94
Significado de otros rasgos   94

Monte de Apolo (en la base del anular)   95
   Monte de Apolo regular   95
   Monte de Apolo poco elevado   96
   Monte de Apolo muy elevado   96
   Monte de Apolo llano o poco evidente   97
   Monte de Apolo deprimido   97
Significado de otros rasgos   98

Monte de Mercurio (en la base del meñique) . .   98
   Monte de Mercurio regular   99
   Monte de Mercurio poco elevado   100
   Monte de Mercurio elevado y evidente   100

Monte de Mercurio muy elevado y evidente . . 100
Monte de Mercurio llano, poco evidente y mórbido 100
Monte de Mercurio deprimido 101
Significado de otros rasgos 101

MONTE DE MARTE (DEBAJO DEL MONTE DE MERCURIO) . . 102
Monte de Marte regular 103
Monte de Marte poco elevado 103
Monte de Marte elevado 103
Monte de Marte muy elevado y evidente . . . 104
Monte de Marte llano o poco evidente 104
Monte de Marte deprimido 104
Significado de otros rasgos 104

MONTE DE LUNA (DEBAJO DEL MONTE DE MARTE, EN LA PAR-
TE OPUESTA AL MONTE DE VENUS) 105
Monte de la Luna regular 105
Monte de la Luna poco elevado 106
Monte de la Luna elevado 106
Monte de la Luna muy elevado 107
Monte de la Luna llano o poco evidente . . . 107
Significado de otros rasgos 107

CAMPO DE MARTE 109
El Cuadrángulo 110
Ancho 110
Estrecho 110
Otros rasgos del Cuadrángulo 111
Anillos 111
Cruces bajo el Monte de Saturno 111
Estrellas 111
El Gran Triángulo 112
Ángulo Superior (o de la Inteligencia) 112
Ángulo Inferior (o de la Salud) 113
Ángulo de la Longevidad 113
Otros rasgos del Gran Triángulo 113
En el Ángulo Superior 113
En el Ángulo Inferior 114
El Pequeño Triángulo 114
El brazalete 115
Significado de otros rasgos 115

LAS LÍNEAS DE LA MANO 117

LÍNEA DEL CORAZÓN 117
    Larga, bonita, clara, curvada suavemente, ligera-
    mente rosácea 117
    Larga, pero se detiene poco antes del Monte de
    Júpiter 118
    Corta (no llega a ninguno de los dos montes citados) 118
    Fina, delicada. 118
    En forma de cadena 118
    Recta sin ramificaciones 118
    De color palidísimo 118
    Recta sin fracturas, muy marcada y atraviesa toda
    la mano 119
    Un poco tortuosa 119
    Falta en una de las manos 119
    Doble 119
    Sobrepasa el Monte de Júpiter 120
    Termina con dos ramas abiertas en el Monte de
    Júpiter. 120
    Termina en el Monte de Júpiter, pero cerca de la
    unión con el índice 120
    Termina a caballo entre el índice y el dedo medio . 120
    Tiene tres ramas que se dirigen al Monte de Júpiter 120
    Termina bajo el Monte de Saturno, con alguna frac-
    tura final 120
    Se interrumpe bajo el Monte de Apolo 121
    Se interrumpe bajo el Monte de Mercurio . . . 121
Significado de otros rasgos 121

LÍNEA DE LA CABEZA 121
    Bien trazada y marcada 122
    Es recta y recorre toda la palma hasta el canto de la
    mano 122
    Es recta, sin fracturas y llega hasta el Monte de
    la Luna 122
    Un poco inclinada hacia el Monte de Saturno . . 123
    Prolongada y muy marcada (poco común) . . . 123
    Muy fina 123
    Corta pero recta 123
    En forma de cadena 123
    Distante de la línea de la vida 123

Termina en la Línea del Corazón 124
Doble 124
Tortuosa 124
Termina bajo el Monte de Apolo 124
Significado de otros rasgos 124

LÍNEA DE LA VIDA 125
Larga y bien trazada 125
Corta, pero visible en una sola mano 125
Incompleta, pero en un cierto punto se junta a la
Línea del Destino 126
En forma de cadena 126
Fina 127
Finísima 127
En zigzag 127
Numerosas interrupciones 127
Cortada 127
Unida a las líneas del Corazón y de la Cabeza . . 127
Significado de otros rasgos 127

LÍNEA DEL DESTINO (De Saturno o de la Fortuna) . . 129
Muy clara y larga; en el Monte de Saturno se divide
en dos ramas 129
Nace en la Línea de la vida 130
Nace en el campo de Marte 130
Nace en el Monte de la Luna 130
Nace en la Línea de la Cabeza 130
Nace en la Línea del Corazón 130
Nace en el Brazalete y termina más allá de la se-
gunda falange del dedo medio 130
Suben unas ramas en dirección a los dedos . . 130
Se interrumpe a la altura de la Línea de la Cabeza . 131
Se interrumpe a la altura de la Línea del Corazón . 131
Se interrumpe a la altura de la línea del Corazón . 131
Tocada por unas líneas horizontales (no atravesada) 131
Nace con pequeños signos, pero se vuelve después
recta y nítida hasta el Monte de Saturno . . . 131
Significado de otros rasgos 131

LÍNEAS DEL ÉXITO (o del Sol) 132
Profundamente marcada 132
Su extremidad se divide en tres ramas 133

Termina bajo el Monte de Apolo con numerosas líneas pequeñas 133
Nace en el campo de Marte 133
Nace en el Monte de la Luna 133
Nace en la línea de la Cabeza 133
Nace en la Línea del Corazón 133
Nace en el Monte de Marte 133
Atravesadas por muchas líneas horizontales . . 134
Ausencia de la Línea del Éxito 134
Significado de otros rasgos 134

LÍNEA DE LA SALUD (o hepática) 134
Muy clara 134
Nace de la Línea de la Vida 135
Nace en el Monte de la Luna y atraviesa el Monte de Marte 135
Tortuosa 135
Nace en el Monte de la Luna y traza un semicírculo . 136
Se interrumpe de trecho en trecho 136
Cortada por líneas horizontales 136
Significado de otros rasgos 136

LÍNEA DE LA INTUICIÓN 136
Recta, bien marcada, sin fracturas 137
Atravesada por muchas líneas horizontales y verticales 137
Se interrumpe en el Monte de la Luna, en una especie de isla 137
Muestra una estrella bien visible (o una cruz) . . 138

VÍA LÁCTEA (o Lasciva) 138
Recta, bien trazada y vertical 138
Torcida 139

LOS ANILLOS 139
Anillo de Venus 139
Entero en una mano seca y con los dedos no puntiagudos 140
Interrumpido o incompleto en la parte central . . 140
Una estrella en el centro 140
Anillo de Júpiter 140
Anillo de Salomón 141

   Anillo de Saturno 141
   Anillo de Apolo 142

LAS SEIS LÍNEAS MENORES 143
   Línea del Amor 143
   Línea de los Hijos (serie de líneas verticales sobre la
   Línea del Amor) 144
   Líneas de los Viajes 145
   Línea de los Disgustos 146
   Línea de las Enfermedades 147
   Línea de los Procesos 148